Flávia Côrtes e Rosana Rios
ilustrações: Rosana Rios

TERRA DE MISTÉRIOS

O Antigo Egito e os domínios de Ísis, Senhora da Magia

Flávia Côrtes e Rosana Rios
ilustrações: Rosana Rios

TERRA DE MISTÉRIOS

O Antigo Egito e os domínios de Ísis, Senhora da Magia

Copyright © 2019 Flávia Côrtes e Rosana Rios

Todos os direitos reservados a Pólen Livros e protegidos pela Lei 9.610, de 19.2.1998. É proibida a reprodução total ou parcial sem a expressa anuência da editora.

Este livro foi revisado segundo o Novo Acordo Ortográfico da Língua Portuguesa

Direção editorial **Lizandra Magon de Almeida**
Coordenação editorial **Luana Balthazar**
Revisão **equipe Pólen Livros**
Projeto gráfico, diagramação e capa **Marta Teixeira**
Ilustrações **Rosana Rios**

Dados Internacionais de Catalogação da Publicação (CIP)
Angélica Ilaqua CRB-8/7057

Côrtes, Flávia

Terra de mistérios : o antigo Egito e os domínios de Ísis, senhora da magia / Flávia Côrtes e Rosana Rios ilustrações de Rosana Rios. -- São Paulo : Pólen, 2019.

136 p.

ISBN 978-85-98349-82-4

1. Egito - História 2. Egito - Cultura 3. Ísis (Divindade egípcia) 4. Magia egípcia 4. Deuses egípcios I. Título II. Rios, Rosana

CDD 932

Índices para catálogo sistemático: 1. Egito - História - Curiosidades e maravilhas

www.polenlivros.com.br
polenlivros
@polenlivros
11 3675-6077

SUMÁRIO

Do alto destas pirâmides... 8

1 No início de tudo 18
Cosmogonia: os mitos da criação 21
Heliópolis e a Enéada 23
Mênfis, o poder da palavra criadora 28
Hermópolis, moradia da Ogdóada 31
Tebas, o lar de Amon 33

2 Ísis, inspiração para mulheres mortais e para deusas 36
Rá, o Sol 39
O Nilo 42
Ísis, Osíris, Seth e Néftis 46
A traição de Seth 49
A jornada de Ísis 51
A árvore sagrada e o retorno de Osíris 53
Hórus 56
Guerra pelo trono do Egito 59

3 As divindades como animais sagrados 64
Anúbis 66
Bastet, Sekhmet e Hator 68
Ápis 71
Apófis 72
Sobek 74
Toth 75

4 Magia, mistérios e História 78
Ísis como Senhora da Magia 82
As pragas do Egito 84
Iniciação e mistérios 88
Hermes Trimegistus 91
Tutmés e a Esfinge 92
O pássaro Bennu 95
Os colossos de Memnon 97
Quéops e as pirâmides 99
Akhenaton e Nefertiti 103
Tutancâmon 107
Cleópatra 111

5 Nos domínios da Morte 116
Deuses das profundezas 119
O Livro dos Mortos 121
Ma'at e a Justiça 126
A hora do julgamento 127

Referências bibliográficas 132

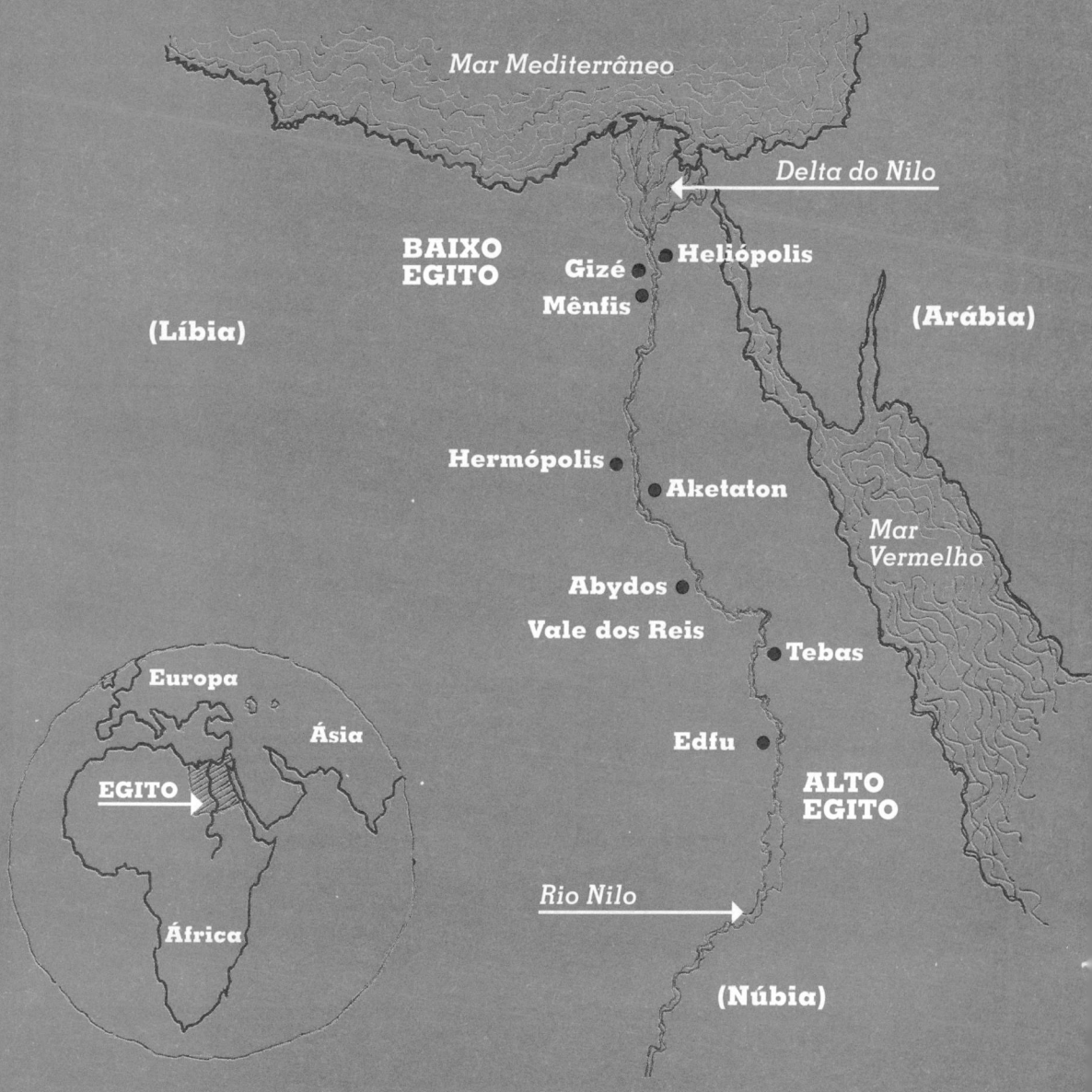

— **Soldados, do alto destas pirâmides** quarenta séculos vos contemplam!

Com essa frase, em 1798, o jovem general Napoleão Bonaparte invadiu a cidade do Cairo e deu início à Batalha das Pirâmides. Ele estava prestes a tomar posse do Egito para a França. E, mesmo após terem se passado tantos séculos, suas palavras parecem ecoar nos ouvidos de cada pessoa que se detém diante desses inacreditáveis monumentos que marcam aquela paisagem.

Há muito tempo, porém, Napoleão já não existe mais; seu império teve o mesmo fim de tantos outros que, ao longo da História, conquistaram e anexaram esse território do Norte da África: virou pó. Mas as pirâmides permanecem, e a terra da poderosa deusa Ísis continua lá…

O Egito é um país julgado exótico pelos ocidentais e sempre exerceu fascínio sobre as pessoas. Banhado em toda a sua extensão pelo rio Nilo e margeado pelos desertos do Saara e da Líbia, sua aridez convive em harmonia com os oásis.

O Nilo desemboca ao Norte no mar Mediterrâneo, formando um delta. No passado, antes da construção das represas, suas cheias fertilizavam o solo: ao recuar, deixavam a terra negra e rica em nutrientes, o que propiciava o plantio e o cultivo dos grãos. Graças a essa fertilidade, o Egito se tornou berço de uma das mais antigas civilizações do planeta, estabelecida há cerca de sete mil anos. Terra de incríveis contrastes, mistérios, mitos e maldições, seu trono sempre foi cobiçado, e diferentes povos o ocuparam ao longo dos séculos; a famosa rainha Cleópatra, por exemplo, nasceu em **Alexandria**, mas era de origem grega. Entretanto, de forma distinta da que ocorria no resto do mundo quando uma terra era conquistada, a cultura egípcia mostrava-se tão marcante que quem ocupava seu trono não impunha seus costumes, assimilava os dos egípcios: não foram poucos os conquistadores que seguiram seu modo de vida e até suas crenças, sonhando em tornarem-se faraós.

O povo egípcio era politeísta e adorava uma série de deuses. Pesquisadores acreditam que, na Antiguidade, eram cultuados cerca de três mil seres divinos. Alguns desses deuses eram nacionais e adorados por todo o Egito; porém, cada cidade e cada casa de família adorava as próprias divindades.

Temos muitos registros sobre os períodos históricos do Antigo Egito, graças à decifração dos hieróglifos. Como Estado, o Egito mostrou-se forte; muitos faraós foram guerreiros e conquistaram terras que lhes valeram um império extenso. Países que hoje conhecemos como Síria, Líbia e Iraque tiveram suas terras a ele anexadas. E comerciavam com povos do Oriente e do Ocidente, navegando pelo Mediterrâneo.

A época mais antiga é chamada de período Pré-Dinástico. Depois houve o Dinástico Primitivo, que teria durado da Pri-

A cidade de **Alexandria** localizava-se no delta do rio Nilo, diante da ilha de Pharos, onde seria construído o mais famoso farol da Antiguidade. Nela estava ainda a maior biblioteca do mundo antigo, que se tornaria um centro de cultura mundial e duraria até o século VII da era cristã, quando consta que foi destruída por um incêndio.

> Chamaram-se **dinastias** os períodos em que reis e rainhas de uma mesma família permaneceram no poder; no Egito houve mais de trinta. Sempre que um faraó não deixava herdeiros e o trono era tomado por um membro de uma outra família, iniciava-se outra dinastia.

meira à Terceira **Dinastias**, sendo seu governante mais conhecido o mítico faraó Menés. Já o chamado Antigo Império durou da Quarta à Oitava Dinastia, e muitos de seus faraós são bem conhecidos: Snefru, Quéops, Quéfren, Miquerinos...

Depois, houve o Primeiro Período Intermediário, o das Dinastias Tebanas: Nona, Décima e Décima Primeira. E, no Médio Império, que governou o Egito inteiro, transcorreu a Décima Quarta Dinastia. Então houve um Segundo Período Intermediário, com três dinastias, até a Décima Sétima.

No Novo Império — da Décima Oitava à Vigésima Dinastias — reinaram nomes como Hatshepsut, Akhenaton, Nefertiti, Tutankhâmon, Ramsés I, Ramsés II, Seti... Temos então um Terceiro Período Intermediário, até a Vigésima Quinta Dinastia, e um Período Tardio que durou até a Trigésima, com os reis Cambises, Dario e Xerxes I. No fim, houve o chamado Período Greco-Romano, que conhecemos graças a Alexandre, o Grande; os Ptolomeus e Cleópatra.

Apesar de as guerras e conquistas dos reis do Egito terem sido registradas em paredes, colunas, pergaminhos e papiros, sabemos que a História é escrita pelos vencedores, omitindo as realizações dos vencidos. Porém, nos dias de hoje, muito do que lemos nesses registros tem sido confirmado pelos arqueólogos que escavam sob as areias e encontram evidências do passado.

Ainda hoje o Egito é conhecido em todo o mundo pela aura de mistério que envolve seus mais famosos legados, como as três grandes pirâmides do platô de Gizé, copiadas como objetos de decoração e amuletos por toda parte. Suas tradições, História e mitos são objeto de estudo há séculos, tendo sido até criada uma disciplina apenas para estudá-los: a Egiptologia.

Quem nunca ouviu falar dos incríveis poderes de Ísis? Ou dos faraós Tutankhâmon e Akhenaton, que governaram ao lado de Nefertiti? Sem nos esquecermos de Cleópatra, que falava diversas línguas e encantou o imperador romano Júlio César e seu general, Marco Antônio.

Os egípcios não eram, de forma alguma, o que poderíamos chamar de "povo primitivo". Conheciam muitas ciências e eram avançados em Astronomia e Matemática. Sua Medicina era inovadora para a época; praticavam-se cirurgias em que se usava o ópio como anestesia, e pontos ou esparadrapos para os ferimentos. Havia, inclusive, especialistas.

O historiador grego **Heródoto** deixou em seus escritos o seguinte comentário: "Há um médico para cada doença. Há doutores por toda parte, médicos para os olhos, para a cabeça, para os dentes, para o abdômen e para doenças identificáveis".

Mesmo a Odontologia era conhecida desse antigo povo. Foram encontradas diversas múmias com obturações e "pontes" de fios de ouro, ligando um dente falso aos verdadeiros.

A beleza das mulheres egípcias ficou famosa. Elas pintavam unhas e cabelos, muito antes que o resto da humanidade (re)inventasse o esmalte e a tintura; a maquiagem era usada por ambos os sexos, principalmente entre a nobreza. Os egípcios abastados utilizavam diversos objetos para se em-

Heródoto foi um historiador grego que viveu no século V antes de Cristo, e que ficou conhecido como o "Pai da História". Isso porque seus escritos, relatos de viagens e de batalhas não apenas descreviam os fatos passados, mas analisavam o comportamento humano. Ele é considerado também um precursor da Antropologia e da Etnografia.

belezar, como pentes, espelhos de cabo, vasinhos decorados e colheres para cremes e maquiagem, em formas diversas. E havia oficinas em que artesãos especializados fabricavam perucas: seu uso tornou-se comum a partir da Quarta Dinastia, em estilos que mudavam com o tempo. Homens e mulheres as utilizavam, pois os cabelos naturais eram mantidos curtos ou totalmente raspados.

A arte no Egito Antigo era requintada. Os desenhos que chegaram até nós, nas tumbas, objetos, paredes e papiros, mostram uma arte estilizada, com as figuras humanas representadas de frente, porém com rostos e pernas de perfil, posição impossível na vida real. É por meio dessa arte que aprendemos tanto sobre os modos de vida e a cultura egípcia. Por exemplo, podemos ver nas pinturas, que são muito detalhadas, as roupas, joias e objetos que as pessoas usavam.

Vemos ainda que os homens eram representados em tons escuros e vermelhos, enquanto as mulheres apareciam sempre em tons mais claros, que iam do amarelo ao ocre. Acredita-se que a diferença na cor da pele se dava pelo fato de os homens passarem mais tempo expostos ao sol, enquanto as mulheres permaneciam dentro de casa.

Além de exímios artistas e artesãos, os egípcios também eram mestres em Arquitetura e Engenharia: ergueram incríveis monumentos e desenvolveram complexos sistemas de irrigação. Também construíram os primeiros navios dos quais temos notícia. Quanto às pirâmides, durante séculos houve dúvidas: foram mesmo os escravos egípcios que as ergueram?

Ou sua construção teria sido obra de magia, quem sabe de tecnologia alienígena?

Tantos mistérios estariam até hoje enterrados nas areias do deserto não fosse pelo súbito interesse que o resto do mundo voltou para aquela região no final do século XVIII. Em 1º de julho de 1798, Napoleão liderou as forças do Exército do Oriente, que desembarcaram na enseada de Marabout, a Oeste de Alexandria. O objetivo do general francês era conquistar o Egito e impedir que os ingleses usassem as vias terrestres para o comércio com as Índias.

Aconteceu que o exército de Napoleão, embora contando com menor número de soldados, venceu seu adversário, o exército muçulmano. Os motivos dessa vitória são variados, incluindo-se uma superioridade em disciplina militar, poder bélico e estratégia.

Durante o domínio napoleônico, o Egito foi invadido — desta vez sem armas letais — por 167 especialistas de todas as categorias: artistas, engenheiros, cientistas, linguistas etc. Todos enviados por Napoleão, com o propósito de catalogar informações sobre a cultura e os conhecimentos daquele povo, o que resultaria em uma série de vinte e dois volumes intitulada "Descrição do Egito".

Foi ainda durante essa campanha militar que, em 1799, o linguista Jean-François Champollion decifrou os misteriosos **hieróglifos** egípcios ao analisar um antigo decreto do rei **Ptolomeu**, gravado em uma pedra de basalto encontrada na região de Rosetta.

A palavra **hieróglifo** significa "escrita sagrada" e designa a forma da escrita egípcia formada por sinais e imagens que eram desenhados em papiros ou esculpidos em monumentos.

Trata-se de **Ptolomeu V**, que viveu por volta de duzentos anos antes de Cristo.

> A escrita **hierática** era uma simplificação dos hieróglifos, mas ainda repleta de desenhos rebuscados. As escritas hieroglífica e hierática eram usadas apenas por escribas e sacerdotes. Já a demótica era uma escrita cursiva, mais rápida, que podia ser usada por pessoas comuns.

A peça, que seria denominada Pedra de Rosetta, trazia um mesmo texto grafado em três formas de escrita diferentes: os hieróglifos, desenhos que pareciam incompreensíveis para os franceses; o demótico, escrita egípcia também não compreendida à época; e o grego.

Como a língua grega era bem conhecida, a decifração foi possível pela comparação dos **textos**. Talvez seja esse um dos mais importantes legados deixados pelo general francês.

De lá para cá, inúmeros terrenos pertencentes ao Egito foram pesquisados, templos e túmulos desenterrados, inscrições decifradas, objetos do cotidiano analisados minuciosamente. Tudo isso nos traz um quadro amplo da longa e complexa história desse povo extraordinário.

É importante ressaltar que os egiptólogos nunca tiveram permissão do governo egípcio para explorar o suficiente. Todos os sítios arqueológicos foram delimitados com muito esforço e diplomacia, principalmente pelo arqueólogo egípcio Zahi Hawass, que foi diretor do museu do Cairo por muitos anos e chegou a Ministro das Antiguidades, cargo criado especialmente para ele. Foi ele quem conseguiu de volta parte do material arqueológico levado do Egito para outros países.

Existe ainda muita coisa enterrada em terrenos particulares, onde hoje há casas e não se pode explorar; seus moradores, no entanto, se beneficiam disso, vendendo o que encontram no quintal de forma ilegal. Embora a prática de venda de antiguidades seja proibida, já que são consideradas bens do Estado, é comum encontrarmos egípcios vendendo artefatos falsificados para turistas, afirmando terem sido achados no quintal.

E, mesmo que tanto já tenha sido desvendado, estudiosos afirmam que as areias do Egito ainda encobrem mais de oitenta por cento de sua história... O que significa que essa terra, tão envolta em mistérios, continua destinada a nos revelar novos e grandes segredos de sua fascinante civilização. Talvez essas dificuldades sejam, ainda hoje, causadas pela maior deusa do Egito: Ísis. E talvez somente quando ela permitir é que mais segredos do passado serão desvelados.

1 No início de tudo

Todos os povos possuem crenças que se manifestam por meio de ritos e mitos. E, quando se fala no antigo povo egípcio, tais crenças não apenas refletiam a religiosidade das pessoas, mas formavam a base de toda a estrutura social do país.

Não se pensava que os reis fossem simples governantes: eles eram considerados filhos dos deuses na Terra, adorados e tratados como tais. Religião e política estavam interligadas: o soberano, chamado faraó, era o líder responsável pela lei e pela ordem; porém era também comandante dos exércitos quando havia guerra e, sendo divino, tinha acesso aos deuses, situando-se acima dos sacerdotes. Exercia praticamente sozinho todos os poderes possíveis.

As histórias que compõem a mitologia do Egito, como outras coletâneas de mitos, tentam explicar o mundo e dar sentido à existência humana a partir das aventuras e desventuras de deuses, heróis e antepassados. Muitas delas dão conta de como tudo o que conhecemos foi criado e passou a existir: são mitos cosmogônicos. Embora essa palavra tenha surgido bem mais tarde — pois deriva do grego kósmos, que significa universo — pode ser aplicada a várias das narrativas do Egito que contam sobre os princípios do céu e da terra.

Sabemos que as crenças egípcias eram diferentes nas muitas cidades espalhadas ao longo das margens do Nilo, havendo conjuntos de divindades específicas para cada local. Mesmo assim, os deuses particulares, sempre considerados criadores do mundo, às vezes tinham a mesma formação: um deus pai, uma deusa mãe e um deus filho — a chamada tríade ou família divina.

E alguns deuses em especial chegaram a ser cultuados por toda parte, especialmente aqueles ligados à magia e à morte. As práticas funerárias tinham grande importância naquela sociedade. O interesse pelo destino dos mortos se refletia em suas histórias e principalmente na arte.

Embora Rá talvez fosse o mais cultuado de todos os deuses, é impossível falarmos em mitologia egípcia sem destacar os poderes de Ísis. São incontáveis as tradições que ligaram sua figura às práticas rituais, mágicas e iniciáticas. E, como veremos a seguir, há mitos em que ela superou o próprio Rá.

Vamos conhecer algumas dessas narrativas, que falam nos primórdios e que nos apresentam a família mais conhecida do Egito, formada pelo casal Ísis e Osíris, e seu filho Hórus.

Junto a eles faremos uma pequena viagem ao longo do Nilo, e veremos como mito e história se entrelaçavam há milhares de anos, para dar sentido a um mundo que mudava frequentemente, com o fluir e o refluir das águas desse imponente rio sagrado.

COSMOGONIA: OS MITOS DA CRIAÇÃO

A Mitologia Egípcia tem inúmeras versões para seus mitos sobre a criação do mundo. Os mais conhecidos tiveram origem nas cidades de Heliópolis, Mênfis e Hermópolis. E, embora as histórias sejam diferentes, o conceito geral é o mesmo: no princípio havia apenas escuridão, e no caos flutuava uma enorme quantidade de água. Então um poderoso deus criou a si mesmo, emergindo das águas e se multiplicando em outras formas de vida. Outra característica comum a muitas versões míticas é a de que a criação de tudo teria acontecido em um local de grande poder divino, uma montanha ou ilha primordial.

Por volta de quatro mil anos antes de Cristo, nas terras no vale do Nilo já existiam principados ou cidades-estados independentes, cada um com sua estrutura social e religiosa. Esse período é conhecido como Pré-Dinástico. Só mais de mil anos depois o país seria unificado e surgiria a que foi chamada Primeira Dinastia, sob o comando do faraó Menés, unindo Alto e Baixo Egito. O sacerdote Maneton citou Menés como unificador do Egito; no entanto, há outros escritos que afirmam que a unificação foi realizada pelo faraó anterior, Narmer, o temido Rei-Escorpião.

Um dos símbolos reais, encontrado na Estela de Narmer, hoje no museu do Cairo, apresenta um falcão sobre uma barca com seis pés de papiro e uma cabeça humana, simbolizando seu triunfo sobre os inimigos do Baixo Egito (também chamado "Terra dos seis papiros"). Alguns egiptólogos acreditam até que Menés e Narmer foram a mesma pessoa; o primeiro nome seria, então, a versão grega do segundo. O mito diz que originalmente Hórus, filho de Ísis, reinou no Baixo Egito, e Narmer provavelmente o escolheu como deus principal para ressaltar a unificação. Afinal, um dos significados do nome da Deusa-Mãe era "trono"; por isso ela não apenas foi vista como a personificação do trono egípcio, mas há quem considere que era dela que vinha o poder do faraó.

Com o Egito unificado, cada uma de suas cidades, ou nomos, era tutelada e governada por seu deus particular. Talvez por isso, mesmo após a união de todas em uma única nação, diferentes histórias sobre a criação do mundo coexistiram e os sistemas particulares de culto foram mantidos em cada região. Algumas das cidades mais famosas foram Tjenu ou Tínis, considerada capital das primeiras Dinastias; Inbu-Hedj ou Mênfis, centro do poder por vários séculos; Heliópolis, a moradia da Fênix; e mais Tebas, Amarna, Hermópolis, Edfu, Dendera...

Para o povo egípcio em geral, não importava qual fosse a cidade, o templo era a morada do deus local. Havia estátuas para representar cada divindade nos santuários, e lá elas eram tratadas como reis de verdade, lavadas e vestidas; recebiam presentes, perfumes e alimentos. Acreditava-se que os ídolos estavam vivos e podiam fazer profecias. Assim, os templos eram mais que um local de adoração: eram palácios suntuosos, com jardins, salas de oferendas, bibliotecas, oficinas, servos, tudo de que um deus poderia precisar.

Os faraós, como vimos, eram considerados representantes dos deuses. Em nome dos seres divinos, presidiam a importantes rituais religiosos; sob seu comando estavam os sumos sacerdotes de cada divindade, e sob as ordens destes havia uma hierarquia composta por inúmeros membros do sacerdócio e seus acólitos, os ajudantes. Apenas os mais "puros" entravam nos santuários; outros exerciam as demais funções para manter os templos em funcionamento e realizavam ritos funerários, fundamentais na vida religiosa egípcia.

Muitas dessas cidades, até hoje, revelam entre as areias do Egito as ruínas de seus templos e tumbas. E vários monumentos, com suas inscrições em hieróglifos, mostram a importância que se dava às orações e aos rituais para agradar aos deuses e propiciar uma vida feliz após a morte.

HELIÓPOLIS E A ENÉADA

Literalmente significando "Cidade do Sol", Heliópolis era o centro de culto dos deuses solares, em especial Aton, Rá e Hórus. Esse nome foi atribuído pelos gregos. Eles tinham seu próprio deus da luz, Hélios, que julgavam ser a mesma entidade chamada de Rá pelos egípcios. Foi, portanto, um grande centro de adoração ao deus-Sol. No entanto, o nome original da cidade era Iunu; na Bíblia hebraica ela é citada, designada como On. E ainda existem muitos resquícios de sua glória em escombros que se localizam a Noroeste do Cairo, no Baixo Egito.

Iunu parece ter existido desde os tempos Pré-Dinásticos, porém cresceu bastante a partir da Terceira Dinastia, com o culto ao deus-Sol atingindo o auge no Antigo Império, em especial na Quinta e Sexta Dinastias. Embora a divindade venerada pelos antigos moradores fosse Aton, o deus principal adorado nos templos locais acabou sendo mesmo Rá em sua forma dupla, Aton-Rá; mais tarde ele seria associado também a Hórus, sendo chamado então Rá-Harakhty.

Em Heliópolis acreditava-se que o que havia a princípio era Nun (o Caos), um oceano primitivo de águas infinitas mergulhado na escuridão. Foi dali que emergiu o deus Aton, o poderoso criador que gerou a si mesmo, surgindo de um botão de lótus. Aton personificou-se na forma de **Rá**, o deus-Sol, que viria a ser o maior de todos os deuses.

Rá, então, criou o mundo, trazendo luz. Transformou-se no pássaro Bennu (aquele que os gregos chamaram de Fênix) e voou pela escuridão, pousou sobre uma imensa rocha e soltou um canto, ou grito, que rompeu o silêncio do mundo.

Mas Rá não queria ficar sozinho, e de sua saliva gerou Chu, deus do ar; de seu vômito surgiu Tefnet ou Tefnut, deusa da **umidade**.

Em outra versão, foi do sêmen de Rá que tiveram origem seus irmãos, Chu e Tefnet. Estes dois deuses se uniram e geraram dois filhos: Geb, a terra, e Nut, a noite. E da união do novo casal surgiram os quatro **irmãos** Osíris, Ísis, Seth e Néftis.

Os nove deuses primordiais — Rá, Chu, Tefnet, Geb, Nut, Osíris, Ísis, Seth e Néftis — formaram a grande Enéada Divina. Foram eles os responsáveis pela criação do céu, da terra e de todas as criaturas que os habitam.

Mas há outras versões míticas, mesmo em Heliópolis. Por exemplo, no Livro da Vaca Divina, um texto religioso sobre os últimos anos do reinado de Rá, que foi encontrado nos túmulos

---

Os antigos sacerdotes egípcios explicavam a fusão desses dois deuses, Aton e **Rá**, como consequência do crescimento do poder de Aton.

Note-se que Tefnet era deusa da **umidade**, e não da chuva, coisa inexistente no Egito antigo. Ainda hoje no Egito ocorrem uma ou duas chuvas anuais, e duram apenas alguns minutos.

Na mitologia egípcia, o parentesco dos deuses se confunde. Ora aparecem como pais e filhos uns dos outros, ora como **irmãos** e consortes, e não é raro encontrar versões em que são ambos ao mesmo tempo.

de Seti I e Ramsés II (1318 a 1237 a.C.) e de Tutankhâmon (1352 a.C.), Rá aparece como deus supremo. Embora Rá seja descendente de Nun, o oceano primordial, a obra afirma que foi esse deus que criou a si mesmo, tornando-se maior que o próprio pai. Em determinada passagem, Nun lhe diz:

> *"Meu filho Rá, que és maior do que eu, de quem saíste, e mais velho do que aquele que te fez, senta-te calmamente em teu trono."*

Esse livro trata ainda do mito da criação dos corpos celestes, contando que Rá vivia desde sempre em um palácio sobre a cidade de Heliópolis, de onde observava toda sua criação a bordo de uma barca. O deus estava triste com a humanidade, que não o respeitava mais; então Nun transformou Nut em uma vaca para que Rá a montasse e fizesse um passeio pelos céus e assim pudesse observar o que se passava no mundo.

Porém Rá teve medo da altura e ordenou que Chu, o deus do ar, a sustentasse. Assim, a vaca celeste formou o céu e as estrelas, por onde a barca de Rá continuou viajando todos os dias. E aconteceu a divisão do céu e da terra, separados pelo ar.

Outra versão do mesmo mito narra que, no princípio, Geb (a terra) e Nut (a noite) estavam sempre unidos, um sobre o outro. Rá ordenou que Chu (o ar) os separasse: então Nut se ergueu sobre os pés e os braços, formando a abóbada celeste em seu ventre.

Há uma história diferente em que Aton-Rá toma a forma da garça sagrada, conhecida no Egito como o pássaro Bennu

— e também chamada de fênix, pelos gregos. Ela voou pela escuridão até pousar em uma rocha, de onde soltou o grito que rompeu o silêncio da existência e gerou a vida.

No templo de Heliópolis havia um amuleto chamado pedra Benben, pequeno pilar com a extremidade em forma de pirâmide dourada, folheada a ouro, que refletia a luz do sol nascente. Os sacerdotes afirmavam ter sido ela o poleiro original do pássaro mítico. Era o objeto mais sagrado do culto ao deus-Sol e vem daí o piramidion, a ponta em forma de pirâmide dos obeliscos.

Como vimos, teve origem em Heliópolis a crença na Enéada, a família divina formada por nove deuses e deusas, que teria começado com o deus Aton. E foi enorme a influência dessa filosofia heliopolitana: espalhou-se por muitas terras egípcias e além delas, já que a cidade era conhecida na totalidade do mundo antigo.

Cientistas e geógrafos do passado, inclusive **Claudius Ptolomeu** e Heródoto, citaram Heliópolis em seus escritos. Os estudiosos do mundo conhecido na época realmente acreditavam que ela era a moradia da fênix, ave também consagrada ao Sol na Mitologia Grega. Diziam que, após ser queimada e renascer, era no altar de Rá em Heliópolis que a ave ia depositar suas cinzas. É curioso o que Heródoto escreveu sobre a fênix:

> "Afirmam em Heliópolis que a fênix visita o Egito a cada 500 anos, na ocasião da morte do pássaro original (...)
> Ela leva a antecessora desde a Arábia numa resina
> de mirra e a enterra no templo do sol. Para isso, o pássaro

Claudius Ptolomeu foi um importante cientista de origem grega que viveu em Alexandria. Matemático, astrônomo e geógrafo, deixou uma obra chamada *Almagesto*, um tratado de astronomia em que descreveu planetas, estrelas e o Sistema Solar. Na época, acreditava-se que a Terra era o centro do universo e que os astros circulavam ao seu redor.

molda a resina na forma de um ovo, num tamanho que possa transportar, então cava um buraco novo, coloca a antecessora e fecha o buraco com mais mirra. O ovo é então transportado para o templo do Sol no Egito. Essa história me foi contada assim, mas eu não acredito."

Os pesquisadores nunca acharam os restos das famosas aves, mas encontraram muita coisa nos sítios arqueológicos em que pesquisam o que restou do grande Templo de Aton-Rá. Durante a Quinta Dinastia, os reis mandaram construir réplicas do santuário heliopolitano, nas proximidades de seus próprios túmulos. Em certo canto do templo, a Sudoeste das escavações, descobriram-se as tumbas de vários altos sacerdotes. Acredita-se que viveram na Sexta Dinastia, e que deviam gozar de enorme prestígio diante de seus reis, para que lhes fosse permitido serem enterrados lá.

Na verdade, o templo de Aton-Rá parece ter sido, além de um local de adoração ao deus-Sol, um importante centro de registros dos faraós, chegando a ser uma das mais famosas escolas de filosofia e astronomia da Antiguidade. Heródoto afirmou que por lá passaram, em busca de sabedoria, grandes estudiosos do passado, como **Homero, Pitágoras, Platão** e **Sólon.** Com o passar dos séculos, porém, a cidade perdeu o favor dos reis e decaiu, sendo suplantada como centro de conhecimentos por Alexandria.

Ainda hoje existe, na localidade denominada Al-Masalla, no Cairo, um enorme obelisco que fazia parte do grande Tem-

Homero é conhecido como o escritor da *Ilíada*, que conta a história da Guerra de Troia. **Pitágoras** e **Platão** foram importantes filósofos gregos, e **Sólon** foi um estadista e legislador de Atenas, na Grécia.

TERRA DE MISTÉRIOS   **27**

plo de Heliópolis. Consta que o monumento de granito, com mais de vinte metros de altura e pesando cento e vinte toneladas, permanece no mesmo ponto em que foi construído; seu criador teria sido o rei Senusret I, da Décima Segunda Dinastia. Resta saber se seria esse o mesmo obelisco em cuja ponta localizava-se a pedra Benben...

MÊNFIS: O PODER DA PALAVRA CRIADORA

Já segundo as crenças da região de Mênfis, a cosmogonia que explicava os inícios do mundo estava ligada à criatividade e ao poder da palavra enunciada.

O nome original de Mênfis era Inbu-Hedj (que significa "muros brancos") e, em árabe, Menf. Ainda hoje existem ruínas dessa importante cidade do Baixo Egito perto da cidade de Mir Rahina, ao Sul do Cairo, próximo ao delta do rio Nilo. Conta-se que por volta de três mil anos antes de Cristo havia nas margens ocidentais do Nilo um povoado em que se adorava o deus Ptah.

Esse teria sido o local escolhido pelo faraó **Menés** para construir um forte, que pretendia usar para manter controle sobre as terras egípcias. Menés é considerado o fundador da Primeira Dinastia do Egito unificado. E, apesar de no início a capital ser Tjenu (ou Tínis, no Alto Egito), consta que já na Terceira Dinastia o governo se transferiu para Mênfis, construída em torno da Fortaleza do Muro Branco, o forte que daria o nome à cidade. No início do Novo Reinado, por volta de 1.500 a.C., o local era conhecido como Men-nefer, que significa "belo e duradouro";

Maneton, que escreveu sobre **Menés**, foi um sacerdote da era Ptolomaica. É dele o importante documento histórico, Aegypiaca, que contém a "Lista de Maneton", enumerando os faraós egípcios desde a era Pré-Dinástica à Trigésima dinastia. Com as novas descobertas arqueológicas, no entanto, foi necessário incluir uma "era zero", anterior à Lista de Maneton. E alguns historiadores afirmam até que Menés não existiu de verdade, foi um rei mítico.

dessa expressão viria o nome Mênfis. Por mais cinco séculos foi capital do Antigo Império. Era cidade portuária, metrópole próspera e movimentada.

Ptah era o deus local. Para os sacerdotes menfitas, foi ele o criador do universo; existia antes de tudo no seio do oceano primordial, Nun. Possuía forma humana, com o corpo enrolado como uma múmia, e era o patrono das artes, por tratar-se de uma força criadora intelectual.

Ptah conferia a possibilidade da criação física para todas as ideias, e dele vieram todas as coisas, através de seus diversos aspectos. Um dos aspectos de Ptah se chamava Ur, identificado com outro deus, Aton.

Segundo essa cosmogonia, a divindade Ur-Aton foi quem fez nascer todos os seres animados, já que Ptah era movido por duas forças, a do pensamento e a da vontade. Ou seja, possuía duas faculdades criadoras: com seu coração e sua sede da inteligência, concebeu os seres; e com sua língua, ao proferir as palavras geradoras, fez com que eles tivessem vida. Em resumo: o que o coração pensa, **a língua ordena**.

> Essa ideia, de a **palavra** ter o poder de criar, é comum a muitas crenças. Na Mesopotâmia, por exemplo, o Épico da Criação diz que os deuses só passaram a existir quando seus nomes foram pronunciados. E na Bíblia judaica são bem conhecidas as palavras que dizem que "No princípio era o Verbo".

Para os menfitas, os deuses da Enéada teriam sido os primeiros seres criados por esse aspecto de Ptah. Depois viriam as outras divindades; em seguida, os seres humanos, os animais, os vegetais e os minerais. Também se acreditava que Ptah criou a Justiça para manter a vida que havia gerado.

O templo de Ptah em Mênfis era importantíssimo, assim como seus inúmeros sacerdotes. Era nessa cidade que se dava a coroação dos faraós com a coroa dupla, que simbolizava a união das duas terras do Egito. O templo era riquíssimo e mantido pelas famílias nobres; eles faziam pagamentos em gêneros e bens em troca dos ritos funerários executados pelo clero.

Conhecemos o sistema teológico e político dessa cidade graças a um documento gravado em pedra por ordem do faraó Shabaka, da Vigésima Quinta Dinastia, que teria vivido no oitavo século antes de Cristo. Consta que o faraó mandou que seus escribas copiassem na Pedra de Shabaka o texto de um antigo rolo de couro, já bem deteriorado, que seria originário da Terceira Dinastia. Nesses escritos, destacava-se a importância do culto à divindade Ptah, e também relatava-se a história mítica da divisão do Egito em dois reinos, sob o comando de Hórus e Seth, e a unificação posterior pelas mãos do filho de Ísis. O texto transmite conceitos muito elaborados, raramente vistos em um texto egípcio, já que a língua não permitia expressar profundamente as ideias filosóficas, o que o tornou muito difícil de ser traduzido.

Como os governantes e sacerdotes de Mênfis estiveram no centro do poder por séculos, por bastante tempo Ptah foi julgado o deus mais poderoso de todos. Não apenas era o criador do mundo, mas tornou-se patrono das artes e dos artesãos, já que estes manipulavam o princípio criativo e o transformavam em matéria concreta.

O deus menfita era quase sempre mostrado em forma humana, mumificada. Acreditava-se que estava sempre atento às súplicas da humanidade, e muitas vezes era representado com orelhas grandes. Entretanto, por ter absorvido algumas características de Osíris e de outros deuses funerários, associou-se posteriormente ao boi Ápis, sendo mostrado também em uma forma animal com características de touro.

HERMÓPOLIS, MORADIA DA OGDÓADA

Essa antiga cidade, localizada às margens ocidentais do Nilo, chamava-se Khemenu ou Khmun, que significa "a Cidade dos Oito". O nome referia-se às oito divindades que se acreditava terem existido antes da criação do mundo. Embora na região tenham sido encontradas ruínas que remontam ao Médio Império, Hermópolis parece ter florescido mais no Novo Império. Outro nome da cidade era Shmun, que resultou no nome da localização atual: El-Ashmunein ou Al Ashmunin.

No entanto, os gregos a denominaram Hermópolis, a cidade de Hermes. É que o deus reinante na cidade era Toth, e acreditava-se que este era apenas outro nome para Hermes, o filho de Zeus e mensageiro dos deuses. Mais tarde essa divindade seria associada a Toth sob o nome Hermes Trimegistus, nome que também pertenceu a um sábio que pode, ou não, ter existido de verdade.

Toth era um deus lunar, ligado às práticas de magia. A íbis era seu aspecto animal e ele presidia às curas, sendo patrono da sabedoria e dos escribas. Atribuía-se a ele a criação da linguagem escrita e todas as operações da mente, como cálculos e medidas, além do uso dos números e dos hieróglifos. Tão mágicos eram seus atributos que ele foi chamado de "a língua de Ptah" e "o coração de Rá".

Era cultuado especialmente pelos escribas, uma classe trabalhadora importantíssima no antigo Egito; como muito pouca gente sabia ler e escrever, cabia a esses trabalhadores fazerem todas as transcrições por escrito.

Os escribas descreviam os acontecimentos na vida dos reis e de seus familiares, registravam as riquezas das casas reais e nobres, assim como os resultados das cobranças de impostos. Nos templos, eles copiavam os textos sagrados que contavam sobre os deuses, tanto em papiros quanto nas paredes e nos objetos. Havia ainda escribas reais, que eram preparados desde os 4 anos de idade; seus estudos duravam mais de dez anos. Já um escriba comum, embora também pertencesse a alguma família importante, iniciava os estudos por volta dos 12 anos de idade.

O Templo de Toth em Hermópolis não era apenas a morada da divindade: tornou-se um importante centro de mistérios e escola de teologia. Conta-se que havia lá uma imensa biblioteca, contendo criptas secretas onde se guardavam **papiros** — e dizia-se que estes teriam sido escritos pelas mãos do próprio deus.

E, apesar de tão importante senhor e deus governar Hermópolis, muitos habitantes possuíam crenças ainda mais antigas: acreditavam que sua cidade era o ponto de nascimento do mundo, graças às oito entidades primordiais que formavam a chamada **Ogdóada,** um grupo de oito deuses.

Eram eles quatro homens e suas contrapartes femininas: Heh, o oceano primordial, símbolo da eternidade; junto a

---

O **papiro** é o antepassado do papel. Era produzido das folhas da planta *Cyperus papyrus*, que nascia nas margens do Nilo. Como ficavam enrolados, o nome acabou designando todas as folhas manuscritas em rolos encontradas nos palácios e tumbas.

Os quatro deuses da **Ogdóade** eram representados com cabeças de sapos, e suas consortes, as quatro deusas, exibiam cabeças de serpentes. O mito diz que, após terem criado tudo que existia, governaram o mundo, fazendo fluir o rio Nilo e trazendo o Sol aos céus todos os dias. Não eram imortais: após a morte foram viver no Duat, o mundo subterrâneo.

sua consorte Hauhet, tinha a missão de fazer emergir o Sol. Kek ou Kuk era a obscuridade e, ao lado da divindade feminina Kauket, produzia as trevas da noite. Amon e sua esposa, Amaunet, representavam o oculto, o invisível. E Niu ou Nun, o nada, que, juntamente à consorte Niut ou Naunet, trazia em si a força vital. Esses quatro elementos — Heh, Kek, Amon e Nun — desdobrados em contrapartidas masculina e feminina, configuravam os aspectos do caos.

Segundo o mito de origem, as oito divindades se combinaram e, numa explosão de energia, fizeram surgir o primeiro morro, ou ilha da Criação, localizado exatamente em Hermópolis; nesse morro teria nascido o Sol. A vida como a conhecemos teria surgido então de um ovo cósmico, que foi lançado pela ave **íbis** ou por uma gansa (esta denominada "a Grande Tagarela"), sobre a ilha. Em outra versão, também hermopolitana, os deuses criaram uma flor de lótus em um lago sagrado, e suas pétalas se abriram para que surgisse Rá, sob a forma de um escaravelho que depois se transformou em uma criança.

Diz o mito que os deuses da Ogdóada viveram na Terra até morrer. Passaram a governar do outro mundo, de onde garantem que as águas do Nilo continuem fluindo e que o Sol nasça todos os dias.

TEBAS, O LAR DE AMON

Durante o Médio Império, o deus Amon tornou-se o mais influente nas terras do Egito. Naturalmente, o nível de importância de um deus, na época, mudava de acordo com as

A **íbis** de Hermópolis era uma representação do deus Thoth, que se tornaria líder dos deuses locais.

circunstâncias políticas. E, com a Décima Primeira Dinastia, iniciada com o faraó Mentuhotep I, o poder se transferiu para a cidade de Waset, onde o deus local chamava-se Monthu ou Montu.

Amon, cultuado pela família do faraó, identificou-se com outra divindade de Waset: Min, o deus da fecundidade. Acabou substituindo-o em prestígio, e Waset seria renomeada como Tebas (ou Thebes, como ficou conhecida pelos gregos). Hoje, na mesma região, encontramos a famosa cidade de Al'Uqsur, conhecida no Ocidente como Luxor.

Tebas era dividida ao meio pelo Nilo. Os principais templos e o núcleo da cidade situavam-se na margem Leste; na margem oposta, a Oeste, estava o **Vale dos Reis,** onde muitos faraós e nobres egípcios foram sepultados, num período que durou mais de setecentos anos. Também se situam do lado ocidental o **Vale das Rainhas** e o templo da famosa governante Hatshepsut.

Tão importantes eram essas tumbas e os templos a elas associadas que existia até uma vila próxima apenas para a moradia dos trabalhadores que construíam e decoravam as edificações, denominada Deir el-Medina.

Durante o Novo Império, quando Tebas se tornou a capital, as dinastias governantes tornaram Amon tão importante que surgiu uma outra versão de mito cosmogônico. Esse mito colocava Amon como o Princípio e a Causa Final da criação, num patamar tão alto que entendê-lo estava além da compreensão humana. Nas crenças tebanas, Amon também se associou ao

---

Os reis da Décima oitava à Vigésima Dinastia mandaram construir seus túmulos no **Vale dos Reis,** rodeado por montanhas. É lá que está o túmulo de número 62, do faraó Tutankhâmon. Ao longo da História, a maioria foi saqueada.

As rainhas do Novo Império, principalmente as da 19ª e 20ª Dinastias, tinham um cemitério especial, próximo ao Vale dos Reis. O túmulo de Nefertári, uma das consortes de Ramsés II, é um dos mais belos e mais visitados do **Vale das Rainhas.**

> Essas **"fusões"** entre duas ou mais divindades foram muito comuns no Egito. Às vezes, com o passar do tempo, os atributos de um deus antigo se misturavam aos de um deus novo, e o povo passava a considerar ambos como uma só entidade.
>
> **Obeliscos** são monumentos altos, de quatro faces, que acabam com uma ponta em forma de pirâmide, às vezes folheada a ouro. Eram chamados *tekhenu* pelos egípcios. A palavra atual vem do grego *obeliskos* e significa "pequeno pilar com ponta". Os egípcios também os chamavam "Pedras de Rá".

deus **Rá**, tornando-se Amon-Rá, divindade respeitada por todo o Egito. Era associado ao elemento ar, e muitas vezes foi representado como um ser humano com cabeça de carneiro.

Criou-se em Tebas uma nova tríade: Amon teria por esposa a deusa Mut (palavra que significa "Mãe"), e por filho Khonsu ou Consu, divindade associada à infância e à Lua. O nome desse deus significa "viajante": isso se deve à ideia de que a Lua "viaja" pelo céu noturno.

A principal moradia dessa família divina era o Templo de Karnak. Trata-se de um enorme complexo, construído no decorrer de vários séculos. A história de Karnak está ligada à própria história de Tebas, e suas imensas ruínas, que se constituem em um dos maiores sítios arqueológicos religiosos do mundo, são o ponto mais visitado pelos turistas no Egito após as pirâmides de Gizé.

É impressionante a visão que se tem no Recinto de Amon-Rá, um espaço com cerca de 250 mil metros quadrados contendo grandes construções, colunas gigantescas e estátuas imensas. Lá também se encontra um **obelisco** com quase 30 metros de altura — praticamente do mesmo tamanho de um prédio moderno de dez andares.

Ao ser associado a Rá, Amon passou a ser chamado "Amon-Rá, rei dos deuses, senhor de Tebas". Isso confirmou sua primazia sobre todos os outros, mantendo seu culto dominante por séculos. Tamanho prestígio dessa divindade fez com que os viajantes gregos, tempos depois, identificassem Amon com seu próprio deus supremo, Zeus. Isso fez com que a cidade recebesse mais um nome: Dióspolis, a Cidade de Zeus.

2 Ísis, inspiração para mulheres mortais e para deusas

Em uma época em que a mulher era vista como ser inferior e dependente dos homens em grande parte do mundo, no Egito uma mulher em especial crescia em força e poder, sendo capaz de transformar por completo não apenas a independência feminina, mas a história de todo um povo. Não era uma mulher qualquer, e sim uma deusa, a maior de todas no panteão egípcio, cultuada como rainha do céu e da terra e protetora da humanidade: Ísis.

Sua figura foi tão significativa no antigo Egito que suas histórias iluminam e complementam a de outras deusas. Nut, Ma'at, Hator, Sekhmet, Bastet... Todas elas partilham o divino feminino com Ísis, que o personificou em todos os seus aspectos. No início de cada ano, era ela, na figura da estrela Sírius, que surgia, majestosa, anunciando o alvorecer do mundo e o retorno do deus-Sol à Terra. Como esposa de Osíris e mãe de Hórus, ela era o centro da trindade divina.

Não deve ser por acaso que a mulher egípcia se encontrava num raro patamar de igualdade com o homem; seria esse um dom de Ísis? Mulheres podiam dispor de suas propriedades como bem desejassem e, mesmo após o casamento, os bens continuavam sob sua posse. Podiam firmar contratos, por exemplo, com amas de leite, jardineiros e serventes. Podiam decidir libertar um de seus escravos, sem precisar do consentimento de um marido: esse processo era feito através da adoção e o escravo tornava-se parte do grupo familiar.

É bem verdade que o cuidado com o lar e a família eram a principal ocupação feminina, mas a mulher tinha total liberdade para trabalhar e muitas egípcias assumiam profissões. Havia cantoras, dançarinas, esteticistas, vendedoras de estabelecimentos comerciais, médicas e assistentes de medicina. Mais significativo ainda é o fato de que as mulheres egípcias recebiam salários iguais aos dos homens que ocupassem o mesmo cargo ou **profissão**.

Além disso, fosse da nobreza ou do povo, casada ou solteira, toda mulher tinha o direito de ir e vir para onde e quando quisesse. Possuía uma posição jurídica privilegiada, se comparada às mulheres de outros povos da antiguidade: podia agir juridicamente, dar entrada em processos e buscar seus direitos nos tribunais, quando fosse necessário.

E, claro, a mulher também tinha um papel importante na religião. As da nobreza podiam assumir posições importantes, sendo chamadas "Divinas Esposas Reais", "Divinas Adoradoras de Amon" ou "Mãe do Faraó-Deus". Mulheres do povo podiam tornar-se sacerdotisas respeitadas; eram as maiores responsáveis por muitos dos festivais de adoração e agradecimento aos deuses.

No entanto, como toda sociedade, a egípcia também tinha seus defeitos e nem tudo era perfeito. O que se esperava de uma mulher casada, por exemplo, era que desse um filho homem ao seu marido; era motivo de tristeza e vergonha quando

---

Há evidências de mulheres do Reino Antigo que ocupavam importantes **cargos de chefia**. E uma egípcia também podia ser médica: um exemplo é Neferica Rá ou Nefer Ka Rá, médica-obstetra que atuou na corte do faraó Saurá, da Quinta Dinastia (2494-2345 a.C.). Outra doutora famosa foi Peseshet, diretora da equipe médica do faraó Amenhotep III, na Décima Oitava Dinastia do Novo Império (1552-1305 a.C.). Nos papiros antigos, era mencionada como "aquela que decide". Seu filho, o sacerdote Akhet Hetep, lhe dedicou uma Estela em Gizé, com seu nome e títulos de honra.

não o conseguia. Embora houvesse pessoas que se casavam por amor, o casamento, muitas vezes, era arranjado pelos pais dos noivos, principalmente nas famílias pertencentes à nobreza. Mas a decisão sobre o casamento, a palavra final, era sempre a da noiva. Ao se casar, a egípcia mantinha os direitos sobre seus bens e decidia sobre eles sem a intervenção do marido. Quanto ao direito de herança, se os pais não tivessem feito um testamento que dissesse o contrário, os filhos e filhas egípcios tinham direitos iguais na partilha. E o divórcio era permitido no antigo Egito: tanto o homem quanto a mulher podiam pedi-lo, mediante um acordo legal sobre a divisão dos bens. Era comum a mulher divorciada casar-se novamente.

Algumas rainhas, como Hatshepsut, alcançaram a posição de faraó, o representante vivo do deus na Terra, comumente reservada aos homens. E tornaram-se dignas seguidoras de Ísis.

RÁ, O SOL

Em sociedades que vivem da agricultura e da pecuária, as forças da natureza sempre são adoradas como divinas. Talvez por isso existam deuses solares em todas as culturas... No Egito, houve vários deuses associados ao Sol, à luz e ao calor que proporcionava o crescimento de tudo: das plantas aos seres humanos. E, como vimos pelos mitos de criação, a mais popular divindade solar egípcia foi Rá, cujo nome designa o próprio Sol.

Às vezes chamado Re ou Rah, essa divindade era representada com rosto de falcão e um disco solar sobre a cabeça, este cercado pelo corpo de uma serpente. O astro era considerado tanto seu corpo como seu olho; histórias antiquíssimas já mencionavam "O Olho de Rá".

Foi considerado um deus cósmico, senhor do céu, da terra e do submundo. Seu local de culto principal foi a cidade de Heliópolis, porém em todos os cantos do Egito havia quem o adorasse como o criador de todas as coisas.

Entre as narrativas sobre o surgimento dos seres humanos, há uma contando que um dia Rá chorou, e de suas lágrimas nasceu a humanidade; seus fiéis também acreditavam que ele havia criado os animais, as plantas e a passagem cíclica das estações do ano.

Todas as manhãs, Rá saía a percorrer o céu, que era a deusa Nut. A viagem diária era feita em sua barca, pela manhã chamada de Mandjet. Do Leste para o Oeste, às vezes acompanhado por outros deuses, ele iluminava o mundo. E sempre era atacado por Apófis, a serpente maligna que tentava deter a barca — e com isso ameaçava a ordem cósmica. Rá e outros seres divinos combatiam e derrotavam Apófis diariamente; mas, apesar de vencido, o inimigo retornava à vida.

Ao anoitecer, a embarcação de Rá recebia outro nome: Mesektet, a barca da noite. E o Sol sumia dos céus para percorrer o Duat, o oceano ou reino subterrâneo, no retorno ao Oriente. Esse local era também a terra dos mortos; sua entrada ficava em algum lugar abaixo do horizonte, e lá os vivos não podiam entrar. No Duat havia vários monstros do submundo para combater. Assim, a **viagem diária de Rá** era uma espécie de luta eterna da ordem contra o caos, da luz contra as trevas.

> A **jornada eterna de Rá** colocava ordem no mundo, de acordo com o nascer e o pôr do sol. A história da barca que dá a volta no céu e no submundo mostra de forma sutil a concepção dos egípcios para o ciclo da vida dos seres humanos e da natureza: o nascimento, a morte e o renascimento.

O nome em língua egípcia do **escaravelho** (*Khepri*) estava ligado a um verbo que significava "surgir para a vida", "tornar-se". Esse besouro, muito comum no Egito, faz uma bola de excrementos para conter seus ovos, e a empurra com as patas traseiras na direção do Oriente para o Ocidente; por isso foi associado ao deus-Sol, em especial pela manhã. No Egito fabricaram-se aos milhares amuletos, joias e talismãs em forma de escaravelho, pois acreditava-se que traziam proteção. Muitas múmias foram encontradas com esses amuletos sobre o coração.

Ao longo da história do Egito, Rá se associou a outros deuses, de localidades variadas, e teve outras representações e aspectos. Vimos que em Heliópolis isso aconteceria com Aton, que se tornou Aton-Rá, e em dinastias posteriores haveria a fusão com Amon, tornando-se Amon-Rá.

Porém, ele também se ligaria ao deus Hórus, o filho de Ísis. Era então chamado Rá-Harakhty — que significa Rá, o Hórus dos Horizontes. E outro aspecto do deus-Sol era o Escaravelho, ou Khepri. O **escaravelho**, um pequeno besouro, era, nas crenças egípcias, um símbolo de renovação. Ele era considerado a manifestação de Rá no período da manhã; já um deus de rosto de carneiro, Khnum, configurava sua manifestação noturna. Mas no meio do dia o Sol era denominado apenas Rá, representado com o disco solar sobre a cabeça.

Rá foi o pai de Ma'at, divindade feminina que simboliza a ordem e o equilíbrio do mundo, e que encarna o conceito de justiça. Essa deusa estaria presente ao julgamento de cada homem ou mulher após sua morte, como veremos adiante.

Também a deusa Sekhmet estava ligada ao sol, como manifestação do Olho de Rá: ela era a destruidora dos inimigos do Sol. Outro deus-Solar, considerado filho da divindade solar, foi o guerreiro Onúris ou An-Hur; seu nome significa "Aquele que reconduziu a Longínqua". Recebeu essa denominação por ter trazido de volta a luz o Olho de Rá do deserto onde se perdera. E Bastet, a deusa com forma de gata, também teria sido senhora do calor fecundante do Sol.

Mais um elemento ligado a Rá era a flor de lótus, planta comum no Egito e repleta de simbolismos: significava o renascimento e a promessa da vida eterna. O lótus de cor azul simbolizava o Sol e seu filho e representante, o faraó. Essa flor foi associada ao disco solar por seu botão se abrir ao amanhecer e se fechar ao anoitecer, assim como o astro que nasce e se põe todos os dias. Vimos que, em um dos mitos da criação, Rá emergiu de uma flor de lótus.

A crença oficial em Rá no Egito foi interrompida no Novo Império por decreto: isso ocorreu na época do reinado do faraó Akhenaton, que instituiu a adoração a Aton como divindade solar em todo o país. No entanto, após a morte desse faraó, o culto ao grande deus-Sol foi restabelecido.

O NILO

Fonte de vida para os antigos egípcios, o rio Nilo não chegou a ser considerado um deus; no entanto as pessoas deram-lhe certo caráter divino, pois acreditavam que sua origem era em outro mundo. Havia ligações com as deusas Ísis e Anket, além de crenças em um deus hermafrodita de nome Hapi, que personificava as cheias e a inundação do Nilo, como se fosse o espírito do rio.

É um **rio extenso,** que nasce no Sul da África e banha nove países. Antes de chegar ao Egito, recebe outras denominações. É na capital do Sudão que o Nilo Branco se une ao Nilo Azul e entra no Egito por Assuã, sua cidade mais meridional. Entre o Sudão e Assuã, o fluxo do Nilo é interrompido por seis cataratas, que nada mais são que inúmeras

Por muitos anos, os rios Nilo e Amazonas foram motivos de rivalidade entre cientistas e especialistas, que reivindicavam o título de *"Maior rio do mundo"* para o seu favorito. Esse título passou de um para o outro por muito tempo, até que satélites de última geração tiraram a prova e finalmente chegaram a uma conclusão: o Amazonas é que é o rio mais extenso do mundo, com 6.992 quilômetros, que desbancam os 6.738 quilômetros do Nilo.

> Chama-se **Vale do Nilo** a região pela qual o rio se estende, da África Central ao Norte do Egito.

rochas aglomeradas que diminuem a correnteza, e não quedas d'águas, como se poderia pensar.

O rio segue seu **fluxo natural** em linhas sinuosas por todo o país até chegar ao Delta (uma planície em forma de triângulo equilátero) e desembocar ao Norte no mar Mediterrâneo. Os desertos que margeiam os dois lados do Nilo não são de areia branca, e sim vermelha. É por isso que os antigos egípcios o chamavam de Deshret (Terra Vermelha), de onde se originou a palavra "deserto". O vermelho era considerado a cor do perigo e da morte.

É no Delta do Nilo que se encontra a cidade do Cairo, atual capital do Egito.

Para os antigos egípcios, a Terra era achatada e redonda como uma pizza, e o Nilo a cortava ao meio. Como a chuva no país é coisa rara desde a Antiguidade, o povo egípcio sempre teve imensa curiosidade em descobrir onde era a nascente do Nilo e qual a origem das cheias.

Sobre isso havia várias crenças. Uma delas dizia que o vento de verão soprava as águas em direção ao mar; outra, que a neve derretida em lugares longínquos da África formava o rio; e outra, ainda, que as águas viriam do próprio oceano — o qual, segundo o que se pensava na época, circundava o mundo inteiro. Entretanto, a crença de que as cheias eram consequência da chuva no Sul da África é a que foi comprovada mais tarde. Para os religiosos, havia mitos sobre as cheias do Nilo serem causadas pelas lágrimas da deusa Ísis, ao chorar a morte do marido, Osíris...

A verdade é que eram as cheias do Nilo que levavam abundância de alimento para toda a terra do Egito, e traziam o sustento para a população durante todo o ano. Iniciavam-se em junho e atingiam o ápice em setembro, para então baixar gradativamente e assim iniciar um novo ciclo. Durante as inundações, todas as terras mais baixas do Egito ficavam sob a água por uma estação inteira. Após o recuo do rio, surgia uma terra escura e extremante fértil que se estendia por até trinta quilômetros das margens, com dez a doze centímetros de espessura. Era a hora de semear.

Devido a essa fertilidade, Heródoto, o famoso historiador grego, escreveu e tornou imortal uma frase que ouviu de antigos sacerdotes egípcios: **"O Egito é uma dádiva do Nilo"**.

Embora as cheias fossem aguardadas e bem-vindas, às vezes eram excessivas e causavam calamidades. E havia tempos difíceis, quando o rio não subia o suficiente e não fertilizava parte das terras. O povo, então, vivia à mercê das forças da natureza até que se começou a pensar em formas de controlar o rio. Com o tempo, os egípcios construíram diques que lhes permitiram manipular as cheias, para que as terras fossem irrigadas o ano todo, por meio de um complexo sistema de irrigação. O Nilo, nos dias atuais, possui diversas eclusas e represas. A principal delas é a de Assuã, cidade onde também se encontra uma usina de energia elétrica.

Tanta abundância levava à proliferação de diversas espécies animais, como crocodilos, hipopótamos e o pássaro íbis, considerado sagrado. No deserto próximo viviam também avestruzes, cabritos-monteses, **leões e leopardos.**

Os egípcios antigos chamavam seu país de Kemet, que significa "terra negra", referindo-se ao **lodo fértil deixado pelo Nilo** ao recuar após a cheia. A fertilidade da terra garantia a sobrevivência das plantações e do povo.

Hoje, os animais selvagens, como **leões e leopardos**, desapareceram completamente do deserto egípcio.

Os festivais de celebração das várias etapas da vida e dos muitos aspectos da natureza eram importantes no antigo Egito. Durante o reinado de Ramsés III, o país chegou a ter 120 festivais ao ano. Um dos mais conhecidos era o Festival de Anket. A festa era móvel e acontecia logo após o Ano-Novo, que nos tempos antigos era marcado pelo surgimento da estrela Sírius no céu.

Anket era a deusa das cheias e da fertilidade. Os afluentes do Nilo eram considerados os braços da deusa e por isso ela era celebrada, já que seus braços tocavam as terras durante as cheias, fertilizando-as. Havia ainda outros festivais para comemorar a época da inundação, como o de Koiak, que celebrava a ascensão e a queda de Osíris. E uma crença popular dizia que, por ser associada ao rio, a deusa Anket lhe conferia seus poderes. Por isso, as poções mágicas relacionadas ao amor e à fertilidade eram feitas tendo a água do Nilo como ingrediente principal. Rituais e oferendas a essa deusa eram acompanhados por um canto sagrado. As sacerdotisas os realizavam recitando:

> *Teus dons trazem os alimentos e bebidas.*
> *Teu dom é a criação de todas as coisas boas.*
> *Enches os armazéns*
> *E amontoas cereais nos celeiros.*
> *Cuidas dos pobres e necessitados.*

A preocupação com as cheias era tanta que os antigos egípcios construíram os Nilômetros, galerias em locais estratégicos como o templo de Ísis e o de Karnak, para medir a quantidade de água em cada período. Com o estudo das oscilações das cheias, tornou-se possível prever os tempos mais difíceis e amenizá-los. Esse estudo também permitiu o cálculo exato das áreas de terras produtivas e com isso calcular os impostos a serem pagos por seus usuários.

Não se pode, mesmo, imaginar a existência da civilização egípcia sem a existência do Nilo.

ÍSIS, OSÍRIS, SETH E NÉFTIS

A história da maior de todas as deusas egípcias começou com um romance impossível. Dizem que Rá, o deus-Sol, sabia que existia amor entre sua filha Nut, o céu, e seu filho Geb, a terra. Para impedi-los de ficarem juntos ele pediu à Chu, o ar, que os separasse. Mas os dois deuses deram um jeito de se unir, apesar da proibição do pai, e casaram-se em segredo.

Rá ficou furioso com essa união e lançou-lhes uma maldição, para que nunca tivessem descendentes. Porém, Nut desejava ter filhos, e não seria uma simples maldição que a impediria.

Ela, então, usou de toda sua esperteza e convidou o deus Toth, que governava o tempo do mundo, para uma partida de dados. Claro que Nut venceu a partida! E ela exigiu que Toth a recompensasse de uma forma especial: que ele aumentasse o ano em **cinco dias.**

O deus a atendeu. E como Rá não foi informado sobre esses dias a mais, não os percebeu, nem os vigiou. Durante cinco dias a sábia Nut se viu livre da maldição paterna e pôde, finalmente, unir-se a Geb e engravidar.

Segundo esse mito, o calendário egípcio marcava apenas 360 dias do ano; foi com os **cinco dias** ganhos por Nut no jogo de dados com Toth que o ano passou a ter 365 dias.

Teve quadrigêmeos: Osíris nasceu primeiro, seguido por Seth, Ísis e Néftis. Por ser o mais velho, Osíris foi destinado a ser o soberano de toda a humanidade, e seria o primeiro deus a reinar como homem na Terra. Ele e Ísis se casaram e edificaram seu palácio em Tebas. Posteriormente, Ísis e Osíris geraram Hórus, o deus falcão, e os três formaram a primeira tríade divina.

Seth, contudo, era invejoso e afeito a brigas e violência. Acabou tornando-se o deus das tempestades e da guerra. Seu maior sonho era tomar o trono do Egito para si e casar-se com a bela Ísis. Como não conseguiu, pois a deusa amava Osíris, ele uniu-se a Néftis e ergueu seu trono no oásis, no meio do deserto.

Como primeiro deus e rei, Osíris reinou sobre o Egito com justiça e sabedoria, ensinando o povo primitivo a se estabelecer, abandonando a vida nômade.

Ísis não era apenas uma "esposa" divina, dependente do marido. Filha de Nut, a deusa que não se deixou dominar pelo pai, ela tornou-se herdeira das antigas tradições matriarcais, dos povos que adoravam uma Grande Mãe — e desempenhou esse papel em todo o mundo antigo. Seu culto não foi exclusivo do Egito, pois seus mitos se espalharam e foram edificados templos para adorá-la em toda parte, até em Roma e na Grécia.

Foi por meio das orientações de Osíris que as pessoas aprenderam a semear e cultivar a terra, a forjar metais e a fazer farinha, vinho e cerveja. Essas bebidas se tornaram populares no país, embora o vinho fosse uma bebida nobre, mais consumida nas celebrações, e a cerveja no dia a dia, tomada desde o café da manhã até o jantar. Era feita a partir da fermentação do pão, que devia ser pisoteado ou esmagado com as mãos. Por passar por esse processo, que a deixava livre de micróbios e impurezas, era considerada uma bebida mais pura do que a água.

Com o tempo, os **cervejeiros** egípcios passaram a incluir ervas em sua fabricação, para melhorar o sabor. Há evidências, inclusive, de que elas passaram a ter nomes específicos. Verdadeiras cervejas "gourmet"!

Ísis ensinou às mulheres as técnicas de cura através das ervas, as artes de tecer e bordar. Ela constituiu a ideia de família, uma ideia que, até então, não existia.

Seu culto não deixou de crescer durante toda a história do Egito, como Deusa-Mãe, protetora das crianças e Senhora da Magia. Como vimos antes, talvez seja por conta da importância dada a essa grande divindade, na religião e na sociedade, que a mulher egípcia costumava ser mais valorizada do que entre outros povos ancestrais.

Outra característica cultural desse povo, que pode ter ocorrido pelo fato de Ísis e Osíris serem irmãos e consortes, é que nas famílias de alta classe era comum o casamento entre parentes, inclusive de primeiro grau, como irmãos, tios e sobrinhos.

Na realeza, a união entre irmãos e irmãs era praticamente obrigatória, pois os faraós eram considerados divinos e,

> A arte de produção da cerveja se tornou tão importante no Egito que era feita por especialistas, e chegou a existir um hieróglifo específico para "cervejeiro".

Deuses como Toth, Anúbis e até Néftis foram importantes para o sucesso de Ísis e Osíris como governantes do Egito. Nas histórias míticas, sua amizade e lealdade fizeram deles grandes colaboradores.

Embora os arqueólogos afirmem que a civilização egípcia tenha surgido há cerca de 4.500 anos (e que, antes disso, as terras egípcias teriam sido ocupadas por povos primitivos), segundo o relato do sacerdote Mâneton, em um papiro hoje guardado no Museu Britânico, o reinado de Osíris teria ocorrido 13.500 anos antes de Menés, o primeiro faraó.

naturalmente, desejavam manter a sucessão — e o poder — dentro de sua dinastia. Já nas classes mais humildes essa prática era muito rara. Porém, até hoje, no Egito é bem comum o casamento entre primos.

Segundo as crenças egípcias, a união e o amor entre **Ísis e Osíris** tornou esse casal de deuses responsável por criar o conceito de civilização que conhecemos hoje.

A TRAIÇÃO DE SETH

O mais conhecido mito egípcio está ligado a Ísis e ao amor não correspondido que Seth nutria por ela. Conta esse mito que certo palácio estava lotado de convidados para a festa em homenagem ao grande deus e faraó Osíris, que retornava de importante missão.

Ele estivera viajando pelo Egito na companhia de Toth e Anúbis, levando a **civilização** a todos os cantos do reino. Osíris era amado e respeitado pelo povo, e vivia feliz por ter o amor da bela Ísis. E nem imaginava que seu irmão Seth o invejava por isso.

Quando Osíris partira em sua missão civilizadora, Seth havia pensado que seria ele o escolhido para reinar em sua ausência; porém Osíris conferiu essa responsabilidade à própria Ísis. Sabia que a deusa não era menos capaz de governar que ele. Isso contribuiu ainda mais para aumentar a revolta do deus invejoso, que tramou um plano maligno para ocupar o trono.

Fingindo estar feliz com a volta do irmão, Seth organizou um banquete em seu palácio, reunindo todos os deu-

TERRA DE MISTÉRIOS 49

ses, que celebraram, comeram e beberam até bem tarde. O grande momento da noite foi a apresentação de um magnífico **sarcófago** de madeira e ouro, cravejado de pedras preciosas, que seria dado de presente àquele que coubesse nele perfeitamente.

Um a um, os convidados o experimentaram; mas, em todos os casos, o sarcófago era grande demais. Isso porque Seth astutamente o havia encomendado nas medidas exatas de Osíris, um homem muito alto.

Entusiasmado com a possibilidade de ganhar aquela obra de arte, Osíris não desconfiou do perigo e deitou-se no sarcófago, no qual cabia perfeitamente. Bastou um sinal de Seth para que seus asseclas o fechassem e o selassem com chumbo derretido.

Em poucos instantes, os guardas saíam com o sarcófago nos ombros, em direção ao Nilo, onde o lançaram na correnteza. Os partidários de Seth renderam os de Osíris, ainda atordoados com a confusão; os outros deuses convidados assumiram suas **formas animais** e fugiram, desesperados.

Ísis, que muito o amava, entrou em choque. Começou a chorar, rasgando suas roupas e lamentando-se, quando Toth a amparou e a ajudou a fugir do palácio.

Tendo afastado o irmão, e sem que Ísis estivesse por perto, durante um bom tempo Seth governou o Egito com punhos de ferro. Seu reinado só terminaria muito tempo depois, pela ação de um deus que, nessa época, nem mesmo havia nascido: Hórus.

Para os egípcios, a morte significava apenas uma passagem para a outra vida, e pensar sobre ela não era algo essencialmente ruim. Era comum, então, que mesmo em vida as pessoas planejassem onde e como seriam sepultadas; muitos preparavam seus belos *sarcófagos* com antecedência.

As histórias dizem que os deuses podiam mostrar-se tanto em suas *formas animalizadas* quanto nas humanas. No museu do Louvre, em Paris, há estátuas egípcias de deuses representados como homens, e não como animais.

Osíris morreu num dia 17 e por isso, até hoje, esse número é considerado de mau agouro no Egito.

O luto de Ísis, **vestindo-se como mendiga,** reflete seu desalento, pois os egípcios se preocupavam muito com a aparência e tinham cuidados especiais com pele, cabelo, vestimenta, maquiagem e enfeites. Suas roupas eram feitas de linho leve e transparente, já que não havia pudores. As mulheres usavam vestidos e os homens usavam apenas um pequeno saiote, que foi se alongando conforme mudava a moda ao longo do tempo.

A JORNADA DE ÍSIS

Segundo o mito, Osíris foi o primeiro homem a morrer pelas mãos de outro homem, o que explica a comoção que tomou conta das terras do Egito quando Seth e seus comandados o mataram.

Ao ver **Osíris** preso no sarcófago e o lançado ao Nilo, Ísis ficou tão desnorteada que só foi capaz de fugir graças à ajuda do deus Toth. Ao recuperar-se do terrível ataque ao esposo, a deusa decidiu primeiramente deixar a capital, para se proteger, pois sabia que Seth a desejava. Em seguida cortou os cabelos e vestiu luto, **abandonando suas vestes** ornamentadas e divinas. E saiu em busca do corpo de Osíris, que ninguém acreditava que pudesse sobreviver ao atentado.

A busca a levou em uma longa e desesperada jornada pelo Egito, pois ela não descansaria enquanto não encontrasse os restos mortais do marido. Como era Senhora da Magia, pensava mesmo em obter alguma forma de trazê-lo de volta à vida, se possível.

Ao descobrir as intenções da cunhada (que era também sua irmã), Seth ficou furioso; ordenou que seus guardas a perseguissem sem tréguas.

Após tornar-se o governante supremo, ele havia se desviado completamente do forte senso de justiça, que os egípcios denominavam Ma'at, e da forma como seu irmão e Ísis governaram antes dele. Tornou-se um rei violento e vingativo. Assim, mais uma vez o caos se sobrepunha à ordem. O resultado foi que, durante muito tempo, Ísis sofreu perseguição e teve de vagar disfarçada de mendiga pelas terras que margeavam o rio Nilo.

Foi nessa época que surgiu a crença de que eram as lágrimas da deusa, pranteando o marido morto, que faziam aumentar o volume das águas e ocasionavam as cheias do Nilo. Havia ainda quem acreditasse que era o peso do sarcófago, submerso na correnteza, que as fazia transbordar e assim levar fertilidade à terra das margens.

Apesar de ser esposa de Seth, a deusa Néftis também amara Osíris; por isso, em várias ocasiões ela acompanhou a irmã e cunhada em sua busca. Os antigos contavam que muitas vezes as duas se transformavam em falcões e voavam à procura de uma pista do deus desaparecido, soltando lamentos nos céus pelo triste destino do irmão e marido.

Outras vezes, Ísis, em forma humana, seguia pelo Nilo num barco de junco e perguntava em todas as cidades a que chegava se alguém vira a urna funerária; contudo, em lugar nenhum obtinha uma resposta positiva.

Até que, depois de muito tempo, ela parou perto da distante cidade de Biblos. Lá, viu algumas **crianças** brincando junto ao rio. E foram elas que lhe deram notícias do sarcófago precioso.

Depois de ter derramado muitas lágrimas, Ísis sorriu. Sua jornada chegava ao fim — ao menos a primeira parte dela, pois a peregrinação que ela ainda teria de fazer pelas terras egípcias continuaria por conta de novas perseguições de seu irmão e inimigo, o maligno deus Seth.

> As **crianças** egípcias brincavam da mesma forma que as crianças de hoje. Muitos brinquedos foram encontrados em escavações: jogos, bonecas e miniaturas em geral. Apenas em tempos posteriores os brinquedos se tornaram mais complexos.

A cidade de **Biblos** pertencia à Fenícia e se chamava Gebal. Considerada uma das mais antigas cidades do mundo, os egípcios a conheciam como Kypt. Hoje a cidade histórica situa-se próxima ao litoral do Líbano, não muito distante da capital, Beirute.

A ÁRVORE SAGRADA E O RETORNO DE OSÍRIS

Após ter sido lançado ao Nilo, o sarcófago de Osíris seguiu o curso do rio por uma longa distância, até prender-se aos galhos de uma pequena árvore em uma das margens. Enquanto Ísis demoradamente o procurava, em desespero, a árvore cresceu e seus galhos envolveram totalmente o sarcófago, tornando-o parte de seu tronco e transformando-se numa peça de rara beleza, que logo chamou a atenção do rei da cidade próxima: **Biblos**.

Por conta disso, o estranho tronco foi cortado e levado para tornar-se uma coluna decorativa em um dos salões do palácio real. O rei ficou maravilhado, pois jamais se vira coluna tão bela.

Em uma de suas peregrinações, Ísis finalmente soube desse fato e foi, sem revelar sua verdadeira identidade, até o palácio. Lá, aproximou-se das servas da rainha e ofereceu seus serviços. A deusa as deixou belas e encantadoras, com os cabelos sedosos e trançados em elaborados penteados, e envolveu-as com o raro perfume que emanava de si mesma.

Não demorou para que a beleza das servas chamasse a atenção da rainha, que desejou conhecer a responsável por tamanha mudança. Em pouco tempo, Ísis foi também acolhida pela rainha e tornou-se a ama de seu bebê.

O que ninguém em Biblos sabia era que, todas as noites, ela se transformava em uma andorinha e dava inúmeras voltas em torno da coluna feita da árvore sagrada onde estava encerrado o sarcófago de Osíris, soltando gritos de agonia. Tal fato assombrava e maravilhava a todos que o presenciavam.

A deusa, porém, estava grata pelo acolhimento que recebera, pois estava cansada de tantas peregrinações e, afinal, descansava ao lado de seu amado. Assim, decidiu presentear com o dom da imortalidade a criança de que cuidava, herdeiro dos governantes locais. Para isso, todas as noites mergulhava-a em um fogo mágico. Entretanto, certa noite, a rainha presenciou tal cena e correu para tirar o bebê das chamas. Naquele momento Ísis revelou sua verdadeira identidade; mas ao retirar o menino do fogo o feitiço havia sido quebrado, por isso ele continuaria a ser mortal.

A rainha lamentou-se profundamente por seu filho não se tornar imortal. Já o rei, ao saber que estava diante da deusa, honrou a Senhora da Magia e ofereceu-lhe qualquer coisa que desejasse. Ísis pediu, então, que lhe entregassem o sarcófago que continha o corpo de seu marido.

Para não danificar o ornamento, tão amado pelo rei e digno da admiração de todos, a deusa retirou apenas a urna que continha os restos mortais do esposo; a coluna foi restaurada e a sustentação do salão permaneceu intacta. Conta-se que, por muito tempo, essa coluna do palácio de Biblos foi visitada pelos devotos de Ísis, que a consideravam sagrada.

A deusa resolveu seguir seu caminho e foi escoltada por dois dos filhos do rei, até decidir parar e abrir o sarcófago. Ao ver o rosto do amado, Ísis sentiu-se devastada pela dor e soltou gritos tão agudos que um dos rapazes enlouqueceu. E, ao notar

Certas fontes dizem que o corpo de Osíris foi cortado em quatorze **partes**; outras, em dezesseis. Há ainda textos que afirmam terem sido quarenta ou quarenta e duas partes, cada uma deixada em uma das províncias do Egito.

Há uma versão da história em que Néftis e Ísis enterravam cada parte do **corpo** no local encontrado. Isso fez com que, por muito tempo, as pessoas se dirigissem para a cidade de Abidos a fim de morrer ali. Eles acreditavam que lá estava enterrada uma parte do corpo do deus, a quem se reuniriam na outra vida.

que o outro a olhava de um modo estranho, a deusa lançou-lhe um olhar tão irritado e cheio de energia que ele caiu morto.

Ela acabou por retomar o controle de seus poderes e tentou de todas as formas trazer Osíris de volta à vida. Mas não conseguiu: apesar de toda a sua força, precisava de ajuda. Cuidando para não ter testemunhas de seus atos, escondeu o corpo do esposo junto ao rio e partiu em busca de auxílio para tão potente magia. Os guardas de Seth, porém, não haviam deixado de persegui-la, e acabaram encontrando o corpo oculto. O irmão maligno não queria correr riscos: ordenou que ele fosse despedaçado, e suas **partes** espalhadas por diversas regiões do país.

Mais uma vez Ísis teve de fazer uma peregrinação pelo Egito. Com a ajuda de sua irmã, Néftis, ela saiu em busca das partes desmembradas do **corpo** de Osíris. Aos poucos, foram-nas reunindo como se montassem um quebra-cabeças. No entanto, por mais que procurassem, não foi possível encontrar o falo de Osíris, pois este havia sido devorado por um peixe. O jeito foi substituí-lo por um novo órgão manufaturado em madeira e ouro.

Usando de magia, Ísis juntou e reunificou as partes do corpo. Desta vez teve o concurso de Toth, o deus da palavra criadora, que lhe revelou a fórmula miraculosa para trazer o marido de volta. Alguns dizem que, em forma de falcão ou gavião, a deusa voou sobre ele e, com o vento sagrado de suas asas, insuflou nele o sopro da vida. Osíris reviveu e ergueu-se do sarcófago.

A ver o marido novamente inteiro, ela emocionou-se e o abraçou, em lágrimas. Mais uma vez os deuses que tanto se amavam estavam juntos, e puderam então gerar um **filho**.

Apesar disso, Osíris não pertencia mais à terra, e sim ao mundo dos mortos. Anúbis envolveu seu corpo em linho perfumado e preparou-lhe o corpo para descer ao Duat. Dessa forma foi criada a primeira múmia, e o deus de cabeça de chacal se tornou o primeiro embalsamador da história do Egito. Osíris e Ísis despediram-se e ele passou então a ser o senhor do reino dos mortos. Mas ela, agora, tinha no ventre o descendente do homem amado: aquele que, um dia, vingaria o pai.

HÓRUS

Após Osíris seguir para o mundo dos mortos, a deusa Ísis mais uma vez se tornou uma fugitiva. Precisava esconder a gravidez dos olhos de Seth, o usurpador. Sabia que ele tentaria de todas as formas matar a criança para manter-se no poder.

Quando a Senhora da Magia deu à luz um menino, ele foi chamado Hórus, o deus da cabeça de falcão. Entretanto, Seth não podia abertamente matar a irmã e o sobrinho; em vez disso, decretou que fossem para o exílio. Seu intuito, porém, era o de destruir o menino assim que possível, para que ele não buscasse vingança no futuro.

Toth, que de tudo sabia, aconselhou Ísis a fugir do exílio assim que Hórus crescesse um pouco e estivesse mais forte para a jornada. Chegado o dia, a deusa seguiu seu caminho com o filho nos braços. Na ocasião, sete escorpiões entraram

> Em algumas narrativas, Ísis já havia concebido seu **filho** Hórus quando o corpo de Osíris foi desmembrado por Seth.

Os sete **escorpiões** de Ísis chamavam-se Tefenet, Befent, Maatet, Mestet, Mestetef, Petet e Thetet.

a serviço da deusa e a seguiram, apagando suas pegadas para que Seth não os encontrasse. Entretanto, graças àquele estranho cortejo, ela não conseguia abrigo em lugar nenhum.

Ao passar pela cidade de Pasin, onde pediu pousada, uma rica mulher chamada Usa chegou a bater a porta diante dela, apavorada ao ver os **escorpiões**. Ao testemunharem sua deusa ser ofendida, os escorpiões decidiram vingar-se e escolheram um entre eles para ser seu emissário. Tefenet foi o escolhido: cada um dos outros seis companheiros injetou seu próprio veneno no corpo do primeiro que, por conta disso, teve sua peçonha ampliada.

Enquanto isso, a deusa pôde finalmente descansar um pouco da viagem ao ser acolhida na casa de uma pobre mulher, a pescadora Taha. Esta não se importou com a inusitada comitiva daquela que, para ela, era apenas uma mulher necessitada.

Tefenet, por sua vez, preparava-se para cumprir sua missão. Esgueirou-se por baixo da porta de Usa e picou seu filho, ainda criança, que dormia. A dose do veneno foi tão forte que a casa pegou fogo. Desesperada, Usa saiu pela rua gritando com o filho agonizante no colo. Ísis ouviu os gritos da mulher e se compadeceu dela. Chamou-a para junto de si e, com algumas palavras mágicas, curou a criança. Com outra ordem divina, uma chuva começou a cair e apagou o incêndio.

Usa maravilhou-se com tamanho poder e pediu perdão à deusa, que a desculpou. Porém Ísis não ficou em Pasin por muito tempo; passaria os anos seguintes como fugitiva, vagando de cidade em cidade a fim de proteger o filho da ira de Seth.

TERRA DE MISTÉRIOS

Ainda criança, Hórus transmutava-se em falcão. Nesses momentos via-se livre para sobrevoar as terras que herdaria. O jovem deus representava o sol nascente; seu olho direito era o Sol e o esquerdo era a Lua.

Ísis ensinou ao filho as artes de magia e o criou de maneira a preservar a memória do pai, para que um dia o vingasse e subisse ao trono.

Uma tradição diz que a divindade Hator, em sua forma de vaca divina, foi ama de leite do filho de Osíris. E ele ainda era muito novo quando mãe e filho refugiaram-se em Quêmis, uma terra árida e pouco habitada, o lugar perfeito para fugitivos.

A vida era difícil e as únicas coisas que consolavam Ísis eram a companhia do filho e a certeza de que Hórus vingaria o pai. Para conseguir alimentos para os dois, a deusa precisava se disfarçar de velha e pedir esmolas.

Certo dia, ao voltar para o esconderijo onde deixara o filho, encontrou o menino à beira da morte. Seu coração já quase não batia. A deusa entrou em desespero e o chamou pelo nome, mas ele não respondia. Tentou amamentá-lo, porém ele não podia sugar. Sem ter a quem recorrer, Ísis começou a gritar e a lamentar-se, em desespero. Os aldeões a ouviram e muitos se aproximaram, sem saber como ajudá-la. Até que surgiu uma mulher, que trazia um **Ankh,** o símbolo da vida, pendurado no peito. Era a curandeira da aldeia.

Ela logo percebeu que Hórus havia sido mordido por um escorpião ou uma serpente, certamente a mando de Seth. Ísis verificou o hálito do menino e confirmou que ali realmente

> O **Ankh** é uma cruz que, em vez da haste superior, tem uma alça de forma oval. É um símbolo de vida, muito utilizado em rituais mágicos e religiosos, considerado a representação da junção dos princípios masculino e feminino, ou mesmo da união de Ísis e Osíris.

> **Sélkis**, Serket ou Selket era a deusa-escorpião, protetora das vísceras mumificadas nos vasos canópicos.

havia veneno. Entretanto, seus gritos de dor haviam sido tão altos que atraíram outros deuses: sua irmã Néftis a ouviu e foi até ela. Até mesmo **Sélkis**, a deusa-escorpião, apareceu para ver o que havia. Foi ela quem orientou Ísis a mandar parar a barca de Rá, até que o menino estivesse bem.

Atendendo ao pedido da deusa, a barca solar interrompeu seu curso e o tempo parou. Desta feita foi Toth que se aproximou para auxiliar, anunciando que não haveria Sol enquanto o menino não se recuperasse. Esse deus então usou de toda sua magia para expelir o veneno e conseguiu curar o filho de Osíris, em nome de Rá. Depois, a pedido de Ísis, Toth ensinou as amas da aldeia a cuidarem da criança sagrada toda vez que a deusa precisasse se afastar.

Graças à união dos deuses amigos, Hórus sobreviveu. Embora tenha crescido como um fugitivo, sem lar, ainda muito jovem teria de enfrentar o tio e a Enéada Divina para exigir seus direitos. Pois, apesar de todas as maquinações de Seth, o menino continuava destinado a herdar o trono que fora de seu pai, Osíris.

GUERRA PELO TRONO DO EGITO

A primeira vez em que esteve diante do Tribunal Divino e dos nove deuses da Enéada, Hórus ainda era criança. Ele e seu tio Seth haviam sido convocados por Rá para serem julgados e para que fosse tomada uma decisão sobre o domínio das terras junto ao Nilo.

Embora Shu tenha sido o primeiro a defender Hórus, exigindo para ele o trono do Egito, que lhe pertencia por direito, e todos os outros deuses da Enéada tenham feito o mesmo, Rá não pareceu convencido. Em seu íntimo, o deus-Sol queria que seu filho Seth sucedesse a Osíris.

Após muita insistência da Enéada e, principalmente, de Ísis, Rá permitiu que o reino fosse dividido em duas partes. Assim, ainda jovem, Hórus reinou sobre o Baixo Egito, a parte junto ao Delta e que fica ao Norte. A região mais fértil e rica era o Alto Egito, ao Sul, que ficou sob o comando de Seth. No entanto, ainda que tivesse tal domínio, Seth não estava satisfeito. Desejava ser rei absoluto como Osíris, ostentar a coroa vermelha e branca do **Egito unificado** e reinar sobre todo o país. Rebelou-se, dando início uma guerra que duraria oitenta anos.

Por diversas vezes os dois deuses voltaram a postar-se perante a Enéada Divina, tentando resolver a disputa; mas Rá sempre pendia para o lado de Seth, enquanto a Enéada defendia **Hórus.** Nunca se chegava a uma decisão sobre quem realmente deveria herdar o trono de Osíris. Todas as vezes que essa vantagem era dada a Hórus, Seth se revoltava e atacava, recomeçando a guerra.

Buscando uma solução, Toth escreveu pedindo ajuda a Neith, antiga deusa que, em certas tradições, era considerada a mãe de Rá. Neith respondeu dando razão a Hórus e chegou a ameaçar seu filho, caso a desobedecesse. Para que Seth não saísse insatisfeito, ela lhe ofereceu dobrar suas riquezas e prometeu dar-lhe como esposas duas belas deusas. Porém, no momento em que a oferta de Neith foi lida diante dos nove

---

Na **unificação**, o faraó usava uma coroa que era a mistura da coroa branca do Alto Egito com a coroa vermelha do Baixo Egito. A coroa branca tinha a serpente Uraeus na testa, como símbolo de realeza; a crença era de que ela lançava veneno sobre os inimigos do faraó.

Consta que, nos primeiros reinados, **Hórus** foi o deus cultuado pela maioria dos faraós, com exceção de Khasekhemui, da Segunda Dinastia, que foi o único rei da História a ter Hórus e Seth como deuses principais, talvez com o intuito de fortalecer a unificação do Egito.

deuses, Rá ficou furioso. Ele ainda julgava Hórus muito jovem e fraco para ocupar um cargo de tanta responsabilidade.

O filho de Ísis defendeu-se, declarando que era errado tirarem-lhe o que era seu por direito de herança. Outra vez os nove deuses se dividiram entre Hórus e Seth, e Ísis ficou furiosa. Afirmou que obteria justiça para o filho, custasse o que custasse. Irritado com a atitude da irmã, Seth ameaçou matar um deus por dia, enquanto a cunhada estivesse presente ao tribunal.

Rá então decidiu que o local de julgamento se mudaria para uma ilha, e deu ordem ao condutor da barca para que Ísis não os seguisse.

Mas a deusa disfarçou-se de velha e passou facilmente entre eles, sem ser reconhecida — ainda oferecendo uma generosa quantia ao barqueiro. Chegando à ilha, Ísis se transformou em uma bela mulher e usou sua beleza para atrair Seth ao meio da floresta. Lá, pediu-lhe ajuda para acabar com seu sofrimento. Inventou que seu marido havia morrido e que seu filho herdara o rebanho do pai. Um estranho, porém, havia se apossado do rebanho e expulsado o filho de suas terras. Seth, encantado com a aparência da moça, ficou indignado com tamanha injustiça e disse, em voz alta:

— O gado do pai não pode passar às mãos de um estranho, enquanto seu filho ainda vive.

Feliz por conseguir a resposta que queria, Ísis transformou-se imediatamente em uma ave e voou para o alto de uma árvore, gritando:

— Tu mesmo te julgaste!

Isso se tornou público e, diante da frase do filho, Rá ordenou que o trono fosse dado a Hórus. Mas Seth, como sempre, não se conformou: exigiu um duelo.

O filho de Ísis então reuniu todos os antigos amigos de Osíris para ajudar na luta contra Seth. Vários deuses assumiram formas animais e iniciou-se uma batalha tremenda, que durou três dias e três noites. Hórus feriu o tio, porém ele devorou o **olho** esquerdo do sobrinho. Nesse mesmo instante, a Lua deixou de iluminar o céu e foi então que houve o primeiro eclipse lunar.

Compadecida do ferimento de Seth, Ísis pediu pela vida dele — que, apesar de tudo, era seu irmão. Hórus revoltou-se com o pedido da mãe, que julgou ser uma traição, e cortou a cabeça de Ísis com um machado. Toth, no entanto, a curou e pôs em seu lugar uma cabeça de vaca. O mesmo deus também curou Seth, mas exigiu que o deus maligno devolvesse o olho de seu sobrinho. Somente assim a Lua voltou a brilhar.

Em outra versão do mito, Seth arrancou o olho de Hórus e o partiu em sessenta e quatro pedaços, que espalhou pelo Egito; mais tarde eles seriam unidos novamente por Toth. Na Matemática egípcia, o todo só podia ser dividido por sessenta e quatro. O símbolo do Olho de Hórus era fracionado em seis partes, cada uma representando uma parte desse todo, formando a série matemática: 1/2, 1/4, 1/8, 1/16, 1/32 e 1/64. Cada parte do olho representava um dos sentidos humanos que, para os egípcios, eram seis: olfato, visão, pensamento, audição, paladar e tato.

Estava terminada uma batalha. A guerra, no entanto, continuava.

O **Olho de Hórus** foi um símbolo poderoso na iconografia egípcia. Chamado Wedjat ou Ugiat, seu desenho era usado como símbolo de poder, proteção e saúde. Amuletos com sua forma afastavam o mal. Ainda hoje é costume pintá-lo em embarcações a fim de proteger sua tripulação.

Na Antiguidade, os **hipopótamos** eram animais abundantes no rio Nilo. Sua caça era considerada a mais perigosa, mais ainda que a dos felinos em outras regiões da África. O ataque era feito de barco, utilizando-se arpões de madeira, com um gancho metálico na extremidade, preso a uma corda. Quando o gancho o atingia, soltava-se do arpão e o caçador podia puxar a presa. O animal era tão forte que, se não morresse na hora, atacava a embarcação, furioso.

Em outro confronto, o filho de Osíris desafiou Seth para uma competição de barcos. Dessa vez o rapaz enganou o tio, construindo um barco de cedro revestido com gesso. Pensando que o barco de Hórus fosse de pedra, Seth mandou construir um do mesmo material — e o barco afundou. Furioso, Seth transformou-se em um **hipopótamo** e tentou virar a embarcação do sobrinho.

Hórus preparou um arpão para transpassar o tio-hipopótamo, mas foi impedido pelos nove deuses, que interromperam o combate e os levaram novamente ao tribunal.

Em meio à guerra dos deuses, oito décadas haviam se passado e o Egito precisava de paz. Toth então teve a ideia de escrever diretamente a Osíris, para insistir em que o próprio deus decidisse o destino de Hórus e Seth. Muitos dias se passaram até que chegasse uma resposta. Mas chegou e, nela, Osíris lembrou a Rá sua posição de importância como guardião do reino dos mortos e exigiu que o trono fosse entregue a seu filho.

Assim, com o apoio da Enéada, Osíris conseguiu finalmente convencer o deus-Sol: para a felicidade de Ísis, seu filho Hórus se tornou o rei do Alto e do Baixo Egito. As duas terras foram unificadas em uma grande nação, sobre a qual o deus-falcão reinou com grande justiça. Quanto a Seth, foi levado para junto de Rá, para aliviar a sua ira lançando trovões lá do céu, amedrontando os homens. E até hoje ele faz isso.

3. As divindades como animais sagrados

A grande deusa Ísis era muitas vezes representada como uma ave (falcão ou gavião) e também com o corpo ou com a cabeça de uma vaca, animal muito honrado pelos egípcios. Como ela, outros deuses também eram retratados com formas animais. Isso era comum nos hieróglifos egípcios encontrados em pirâmides, colunas e papiros antigos, e levou muitos viajantes a acreditar que o povo do Egito praticava a zoolatria, ou adoração animal. No entanto, em vários casos, apenas parte do corpo das divindades correspondia a uma forma animalizada; e, mesmo se a totalidade da imagem do ser divino assim o retratava, deve-se buscar nisso os significados simbólicos, pois atribuía-se ao deus apenas as características mais admiráveis — ou ameaçadoras — de cada animal.

Assim, temos Hórus desenhado e esculpido com cabeça de falcão, a ave que voava muito alto sobre as terras e que tudo enxergava; afinal, o filho de Ísis e Osíris era o deus do céu, reinando sobre o Alto e o Baixo Egito.

Outras divindades também manifestavam as qualidades arquetípicas dos animais que faziam parte de suas representações, podendo inclusive transformar-se nos seres que as simbolizavam. Vamos conhecer algumas delas e tentar compreender em que medida a natureza animal e a humana se conectavam.

ANÚBIS

Anúbis, representado sempre com uma cabeça de chacal ou cão, foi um deus funerário dos tempos mais antigos do Nilo. Antes mesmo de Osíris ascender como grande divindade ele já era venerado como o Senhor da Necrópole: era aquele que velava as tumbas onde eram sepultados os mortos. Alguns autores mencionam que a cabeça do chacal foi atribuída a Anúbis pois esses canídeos selvagens vagavam pelos cemitérios à noite, talvez em busca de carniça, e o povo acreditava que o deus podia encarnar-se neles. Apesar de sua antiguidade, ele é também considerado um filho de Osíris com sua irmã e cunhada Néftis.

Quando Osíris morreu e seu corpo foi embalsamado, tornando-se a primeira múmia, foi justamente Anúbis que realizou a **mumificação**; por esse motivo ele era venerado nos locais de trabalho dos embalsamadores e se tornou seu protetor, sendo chamado "Aquele que preside o Divino Pavilhão".

A prática do embalsamamento foi importantíssima na sociedade egípcia, ao preservar os corpos dos falecidos para que pudessem chegar ao além, já que se acreditava que a alma precisaria de um corpo físico na vida após a morte. Segundo a descrição do historiador grego Heródoto, que visitou o Egito na Antiguidade e catalogou o que viu, quando um faraó morria, seu corpo era levado de balsa até o local da mumificação, que seria realizada por um grupo de sacerdotes. O principal deles usava uma máscara de Anúbis, pois era seu representante. Durante o ritual, eles entoavam cantos e recitavam preces para garantir a boa entrada do morto no outro mundo.

> O processo de **mumificação** era caríssimo e destinado apenas à família real. Os cidadãos menos nobres contavam com uma mumificação mais simples, e as pessoas do povo só podiam esperar que as areias quentes do Egito preservassem seus corpos para o além.

> Conta-se que o **"cortador"** sofria um ritual de apedrejamento depois, pois havia profanado um corpo humano. É possível, no entanto, que esse ritual fosse apenas simbólico.

Ao preparar o corpo, primeiro retiravam o cérebro com a ajuda de um cinzel, que abria uma passagem pelo nariz. A seguir o sacerdote **"cortador"** fazia uma incisão em um dos lados do tronco e retirava os outros órgãos, com exceção do coração, que algumas tradições dizem que permanecia no tórax; após desidratá-los, os embalsamadores guardavam fígado, estômago, intestinos e pulmões em vasos apropriados denominados canopos. O corpo então era lavado e untado em óleo especial, depois o cobriam com natrão, um tipo de sal, e assim o deixavam por quarenta dias, para que perdesse toda a umidade e não apodrecesse. Após a retirada dos órgãos, as cavidades restantes eram preenchidas com linho embebido em óleos perfumados, e somente então procedia-se ao ligamento dos membros e do tronco com ataduras.

Assim, num longo processo que durava setenta dias, nasciam as famosas múmias; ao final, o corpo enfaixado era colocado em um sarcófago, em geral feito de madeira, e que seria decorado com uma reprodução realista do rosto do morto em seu exterior.

O deus com cabeça de chacal foi, como patrono da mumificação, um dos mais importantes: ele simbolizava a aproximação da morte e a possibilidade da sobrevivência de cada um após a passagem para o outro mundo. E Anúbis não era apenas o Deus dos Mortos e guardião dos cemitérios; também foi chamado psicopompo, palavra derivada do grego e que significa "condutor da alma". Tratava-se, portanto, da divindade que acompanhava os mortos em sua viagem ao desconhecido: conduzia cada uma das criaturas ao temido tribunal de Osíris, onde seriam julgados.

O deus teve ainda outras denominações, como "Aquele que está sobre a Montanha" e "Senhor do Envoltório das Múmias". Como foi considerado um ente muito cuidadoso e compassivo, era comum que sua representação nos monumentos funerários o mostrasse debruçando-se sobre uma múmia deitada no sarcófago.

Uma das práticas mais constantes na construção das **mastabas,** que abrigavam corpos dos nobres e sacerdotes egípcios, era a gravação de orações para Anúbis nas paredes e sarcófagos.

Imaginava-se que aquelas frases garantiriam ao morto uma vida feliz no além-túmulo. Esta frase faz parte de uma oração encontrada ao lado direito do sarcófago do nobre Nekht-Ankh:

> *Eis a dádiva que o Rei concede e que Anúbis transmite.*
> *Ele que está sobre a montanha, no local da mumificação,*
> *o Senhor da Terra Sagrada. Que ele conceda um bom*
> *sepultamento na necrópole do sol poente, em sua tumba*
> *no submundo, ao reverenciado, filho de um príncipe local,*
> *Nekht-Ankh, o justificado.*

BASTET, SEKHMET E HATOR

Essas três deusas se confundem em diversos mitos de diferentes regiões, caracterizadas muitas vezes como aspectos diversos umas das outras.

Sekhmet era deusa das operações militares, da cura e da luta; era a face guerreira da deusa Bastet. Representavam-na

---

Mastabas eram construções retangulares que serviam como túmulos; existiam antes que se tornasse comum a construção de pirâmides e outras tumbas para sepultar os faraós. Em uma das salas das mastabas fazia-se uma porta falsa, que, com a inscrição mágica certa, servia como um portal de comunicação com o mundo dos mortos.

com o corpo feminino e a cabeça de uma leoa feroz. Seu culto principal acontecia na cidade de Mênfis e seu nome, em egípcio antigo, significava "a poderosa".

Bastet ou Bast era uma deusa-gata ligada ao amor e à fertilidade; era vista como o lado benevolente de Sekhmet. Seu templo ficava na cidade de Bubástis. Sempre a representavam com corpo de mulher e cabeça felina, cercada por vários gatinhos a seus pés. Levava nas mãos um instrumento de percussão e uma imagem de seu aspecto feroz, com cabeça de leoa.

No Egito os **gatos** eram animais sagrados, consagrados a essa deusa, e devia-se protegê-los a qualquer custo. Gatos domésticos eram apreciados como membros das famílias, costumava-se ter vários deles em casa. Eles protegiam as moradias caçando ratos e cobras. Sua morte era lamentada e seu corpo, às vezes, mumificado. Toda mãe tinha uma estátua da deusa Bastet em nichos na parede de casa; lá colocava oferendas de flores e leite, pedindo em troca que a deusa protegesse seus filhos.

Hator era outra deusa da fertilidade e possuía cabeça de vaca. Também era a deusa do amor, da beleza, das terras estrangeiras e do céu. Seu culto era forte nas localidades de Deir el-Bahri e Denderah. Na maioria dos relatos, Hator aparece como uma divindade benevolente e gentil; por exemplo, na história de Ísis e Osíris, consta que ela foi a ama de leite do pequeno Hórus.

No entanto, há um mito que mostra uma face diferente da deusa, violenta e vingativa. Dizem que Rá andava descontente com a humanidade. Estava **velho,** cansado e o povo já não o respeitava como antes. Para decidir o que

---

No Museu do Louvre, em Paris, na ala dedicada à arte egípcia, podemos encontrar várias múmias reais de **gatos.**

Na **velhice,** *a pele de Rá ficou dourada como o ouro, seus ossos assumiram o aspecto da prata e seus cabelos assemelhavam-se ao lápis-lazúli, pedra semipreciosa de cor azul intensa.*

fazer, convocou os outros deuses a uma reunião, assim como seu pai, Nun, o deus do abismo e do oceano primordial. Nun o aconselhou a enviar a filha Hator, em seu aspecto mais sombrio, para que o vingasse.

Assim se fez. O problema foi que Hator exagerou. Ao tomar a forma de Sekhmet, começou a massacrar todos os homens que encontrava em seu caminho. Muitos fugiram para o deserto ao ouvir rumores de que seriam condenados ao extermínio. E, na verdade, Rá não desejava acabar com a humanidade: apenas dar aos homens uma lição. Porém Hator-Sekhmet se mostrava insaciável, não parava de matar e já se encaminhava para as cidades.

Pensando em uma alternativa, o deus-Sol mandou moerem uma grande medida de ocre vermelho e misturar esse barro a uma enorme quantidade de cerveja.

Assim, avermelhado, o líquido fermentado se parecia ao sangue humano. Depois de produzidos sete mil jarros do falso sangue, eles foram derramados pelos campos em que Hator passaria, implacável em sua trajetória de morte e destruição. A terra ficou encharcada de vermelho até uma altura de três palmos.

Sedenta por sangue, Hator deixou-se iludir pelo truque e bebeu avidamente a cerveja vermelha, até embebedar-se. Quando ficou sóbria novamente, tinha recuperado sua forma normal. Com isso, a paz voltou a reinar no Egito.

Desde então, todos os anos realiza-se um festival de Hator, quando é produzido **vinho** em nome da divindade, pois ela passou a ser também considerada a deusa do vinho.

O povo egípcio parece ter sido o primeiro a registrar, em seus escritos, os métodos de fabricação e o uso do **vinho**. Embora fosse uma bebida destinada apenas aos nobres, os sacerdotes o utilizavam em seus rituais. Mais de dois mil anos antes de Cristo os egípcios já exportavam os vinhos que produziam para outros países.

Divindades ligadas à figura do **touro** foram comuns em várias tradições, e seus cornos em forma de crescente o associaram muitas vezes a deuses da Lua. Em Creta, esculturas de chifres apareciam em todos os monumentos. Em histórias da mitologia grega, o deus supremo Zeus às vezes tomava a forma de um touro. Na Índia os touros e vacas eram sagrados. E no culto persa de Mitra, popularizado durante o Império Romano, o sacrifício ritual de touros era uma importante prática de iniciação.

ÁPIS

As imagens de touros sagrados são muito antigas, porque nas sociedades pecuaristas os **touros** eram os procriadores, que fecundavam as fêmeas e garantiam a continuidade dos rebanhos. No Egito, o culto ao boi Ápis preencheu essa necessidade.

Os touros que seriam denominados Ápis e se tornariam representantes do deus bovino, tinham de apresentar, na fronte, uma mancha branca em forma de lua crescente. Na arte egípcia encontramos imagens diversas desses bois, em que eles aparecem com formas diferentes: em algumas com o pelo negro, em outras com o pelo branco. Há ainda descrições que dizem ter o touro a figura de um abutre ou águia no dorso e até a imagem de um escaravelho em sua língua.

Na cidade de Mênfis, onde o deus padroeiro era Ptah, o boi Ápis era adorado; era lá que havia no templo um touro vivo para representá-lo. Era mantido em um estábulo sagrado e as homenagens a ele dirigiam-se ao grande Ptah, ao qual era ligado. Suas imagens em papiros e monumentos mostram ainda um disco solar entre seus cornos, associando-o também a Rá, o Sol.

No templo, Ápis era tratado como divindade. Possuía muitas esposas e acreditava-se que podia ser consultado pelos fiéis. Em sua honra os menfitas realizavam uma festa anual que durava sete dias, durante os quais o touro era adornado com enorme pompa e conduzido em cortejos solenes pela cidade.

Tanta era a consideração por esse boi que feri-lo era julgado um sacrilégio. O historiador Heródoto conta que, cinco séculos antes de Cristo, o conquistador persa Cambises II derrotou o faraó Psamético III e cometeu o tremendo crime de matar o boi que representava Ápis na ocasião. Por conta disso, enlouqueceu e passou a cometer atos insanos. Consta até que sua morte foi devida a uma grave ferida na perna, localizada exatamente no mesmo ponto em que o rei persa teria ferido o touro sagrado.

Quando um Ápis se aproximava do final da vida, era sacrificado em uma cerimônia que atraía fiéis e dignitários de todos os cantos do Egito. Seus funerais eram ricos e extravagantes.

Logo em seguida, os sacerdotes percorriam os pastos do país e examinavam os rebanhos até encontrar um novilho com as mesmas características do deus. Então um novo boi era consagrado e conduzido ao templo e aos estábulos, para mais uma longa vida servindo ao povo egípcio.

APÓFIS

Retratado muitas vezes na forma de uma serpente gigante, Apófis ou Apep era considerado um dragão, demônio ou espírito das trevas que todos os dias desafiava o deus Rá. Tratava-se da personificação do caos que tentava destruir a ordem, um inimigo do senso de justiça chamado **Ma'at**, que era também o nome da deusa presente aos julgamentos de todas as pessoas.

Escondia-se sob o horizonte e todas as manhãs, ao alvorecer, atacava Mandjet, a barca do Sol, ameaçando a ordem cósmica. Era sistematicamente derrotado e retirava-se para os mundos subterrâneos, vencido, porém retornava ao en-

O nome **Ma'at** designa não apenas a deusa da ordem, da verdade e da justiça: é um conceito ideal para o comportamento ético das pessoas. O egípcio deveria esforçar-se para atingir esse ideal, agindo com honra, verdade e justiça em todas as situações da vida, assim como perante os deuses.

tardecer para uma nova tentativa de derrubar os poderes do deus-Solar ao atacar a barca noturna, Mesektet. Tornou-se a personificação da luta eterna da escuridão contra a luz e foi chamado a Serpente do Nilo, o Dragão do Abismo das Trevas. Também o associam a Ammit, o Devorador de Almas. A crença de que ele ou esse monstro, no submundo, teriam o poder de consumir as almas dos mortos, fazia com que nos rituais de sepultamento as pessoas fossem enterradas com textos de feitiços que pudessem evitar tal destino.

Havia nos templos papiros de magia contendo fórmulas e práticas rituais que os sacerdotes realizavam com o intuito de ajudar Rá a derrotar o mal todos os dias, assim neutralizando a ação do grande inimigo dos deuses luminosos. Acreditava-se que as outras divindades viajavam na barca solar e ajudavam Rá a combater Apófis — inclusive Seth, o irmão maligno de Osíris. No entanto, esse deus chegou a ser confundido com a Serpente do Nilo e acabaria por tomar seu lugar como o grande vilão, tentando destruir a ordem e a justiça para implantar o caos.

Apesar de sempre ser derrotado pelos deuses que personificavam o Bem, Apófis era indestrutível: portanto, ele renascia diariamente para um novo ataque.

Na verdade, dentro dos sistemas das crenças egípcias, sua existência era importante para o equilíbrio da harmonia universal. Talvez seja por essa razão que o inimigo nunca pudesse ser destruído completamente. Afinal, para que existisse a luz, seria necessária a existência das trevas.

SOBEK

Sobek era um deus-crocodilo adorado em diversas cidades, principalmente Fayum e Kom Ombo. Relacionado ao deus Seth, acreditava-se ser ele um filho da deusa Neith; por isso, os fiéis de Osíris e Hórus o consideravam um inimigo e o chamavam de "o agressor". É dito que emergiu das águas do caos na criação do mundo, como o Sol, sendo, portanto, um deus tanto solar quanto aquático, e também tendo um aspecto **ctônico**.

Uma cidade de Fayum foi chamada de Crocodilópolis em homenagem ao animal, sagrado para seus moradores. O grande oásis de Fayum fervilhava de crocodilos e ali, como em outras regiões, os animais eram domesticados e alimentados, recebendo até bolos, mel e vinho. Também eram enfeitados com brincos e braceletes de ouro. Ao morrer, eram embalsamados, e em Kom Ombo chegou a existir uma necrópole para eles. Essa localidade foi chamada de Pa-Sobek, que significa "Casa de Sobek", e é lá que se encontra o maior templo conhecido em honra a esse deus, à beira do Nilo.

Dentro do templo há dois caminhos principais: o da direita é o de Hórus e o da esquerda é o de Sobek, provavelmente uma alusão à época em que o Egito se dividiu entre dois domínios. Um dos hinos dos sacerdotes locais saudava essas duas divindades:

> *Saúde a ti, Sobek, o crocodilopolita,*
> *Saúde a ti que te ergueste das Águas Primordiais,*
> *Hórus chefe do Egito,*
> *Touro dos touros, senhor das ilhas flutuantes...*

A palavra **ctônico** vem do grego *chton*, que significa "terra, terreno". Designa os seres e as forças que vêm da terra. O crocodilo se enquadra nessa categoria, pois também pode andar sobre a terra, não ficando restrito à água.

No entanto, nem todos os egípcios adoravam crocodilos. Em Elefantina, o povo chegava a comer sua carne, e a população de Dendera julgava ser imune aos seus ataques. Em muitas outras regiões eles eram temidos e, para afastá-los, as pessoas realizavam feitiços, recitavam palavras mágicas e usavam amuletos protetores.

O historiador grego Plutarco acreditava que o culto ao crocodilo aconteceu devido ao fato de o crocodilo ser um animal que não possui voz e, portanto, é incapaz de verbalizar qualquer som. Isso o teria tornado semelhante aos deuses, que não precisam falar para impor suas vontades.

TOTH

Já vimos que esse deus, grande aliado de Ísis, tinha seu principal centro de adoração na cidade de Khmun ou Hermópolis, no Médio Egito, embora tenha sido cultuado em todo o país.

Toth era associado à Lua e, quando queria, assumia a forma do pássaro íbis. Alguns dizem que o bico recurvo da íbis lembrava o crescente lunar, sendo esse o motivo de tal associação.

Na maior parte das pinturas que o retratam, porém, era mostrado com corpo de homem e cabeça de uma íbis, ou a de um babuíno. Era um dos deuses com presença constante na barca de Rá, assim como a deusa Ma'at, que em alguns relatos é considerada sua **consorte.**

Consta que, quando o culto a Toth iniciou-se em Khmun, outras divindades animalizadas eram mais populares. Entre elas estavam a lebre sagrada, oito deuses-rãs, um babuíno e

> Outros relatos dizem que a esposa de **Toth** foi Seshat, a deusa que media o mundo, protetora dos construtores e arquitetos, Senhora da Escrita, da Astronomia e da Matemática.

até serpentes. Com o tempo, porém, estas foram se tornando divindades menores e até desaparecendo.

Deus da palavra, ele era a encarnação da sabedoria, já que a palavra é a força criadora primordial, mágica e inspiradora. Por isso, considerava-se que toda a cultura humana e todas as atividades intelectuais estavam sob sua proteção.

E, embora em alguns mitos seja dito que foi a deusa Seshat quem inventou a escrita, muitos atribuem essa criação a Toth. Ele teria sido o deus que separou as línguas humanas, redigiu as leis e dedicava-se a manter o registro de tudo que acontecia, sendo o verdadeiro secretário do grande deus Rá; nada mais natural, portanto, do que se tornar o patrono dos escribas que, como vimos, eram uma parcela importante na sociedade egípcia. Também consta que criou os números, os cálculos e a contagem do tempo. É dito que todas as ações divinas aconteciam com sua ajuda.

Sendo Senhor dos hieróglifos e da Matemática, ciência ligada à Astronomia, acabou sendo considerado o maior conhecedor de magia do Egito. Naturalmente, o conhecimento das palavras era o início de qualquer ato criador, inclusive de toda feitiçaria.

Além de ter salvado Hórus do envenenamento, quando era bebê, no episódio em que Ísis tentava reunir os pedaços desmembrados de Osíris, é fato conhecido que Toth foi em seu auxílio: ele teria lhe fornecido as palavras de poder necessárias para trazer o marido de volta à vida.

Tinha também status de juiz e presidiu com imparcialidade às grandes disputas dos deuses, como a longa batalha que envolveu Seth e Hórus pelo domínio das terras do Egito. Estava presente nos julgamentos de Osíris, que definiam se cada criatura, após a morte, seria considerada justa ou indigna diante dos deuses. Como escriba divino, Toth registrava a sentença final de cada um.

4 Magia, mistérios e História

O Egito é uma terra mística por natureza.
O milagre das terras férteis ao redor do caudaloso Nilo, contrastando com a aridez do deserto, por si só causa estranheza e fascínio em seus visitantes; no passado supersticioso, todos atribuíam tamanho esplendor à magia. E é a terra da poderosa Ísis, sempre associada às Grandes Deusas de tradições anteriores ao patriarcado — divindades que nunca deixaram de ser cultuadas, de uma forma ou de outra.

Ainda hoje, em pleno século XXI, fatos ocorridos com objetos egípcios adquirem uma aura mágica, como ocorreu quando uma estátua vinda do Egito causou rebuliço em um museu da Inglaterra, pois começou a mover-se sozinha na prateleira em que estava exposta. Filmagens comprovaram que a estátua girava aos poucos, chegando a dar uma volta completa em uma semana. O movimento só ocorria durante o dia, quando havia visitantes no museu. Após vários boatos de maldições e muita investigação, ficou comprovado que a estátua sofria o impulso das vibrações causadas pelo vai e vem das pessoas e deslizava sobre a superfície de vidro da prateleira.

O povo egípcio acreditava que encantamentos, fórmulas, poções, amuletos e talismãs poderiam protegê-lo do Mal e os usavam com frequência. A magia não era vista como algo ligado apenas à religião ou à superstição; mesmo os médicos da época a levavam a sério. Era comum a todos a crença em poções do amor, interpretação dos sonhos, rituais mágicos para a cura de doenças e outras práticas. Existiam até calendários dos dias de sorte e de azar. E, como vimos, para os antigos, o poder vinha das palavras, e para se realizar um ato mágico era preciso verbalizá-lo. Dessa maneira, os primeiros encantamentos dos quais se têm notícia eram pronunciados em voz alta.

O poder de um nome próprio era tão grande que, se uma estátua fosse nomeada novamente, adquiria novo significado; e se um morto esquecesse como se chamava não entraria no reino de Osíris. Acreditava-se ainda que aquele que soubesse os nomes sagrados dos deuses teria imensos poderes; não foi por acaso que Ísis fez de tudo para descobrir o nome verdadeiro de Rá.

Também os ritos mortuários eram envoltos em magia. O corpo mumificado recebia diversos **talismãs.** Orações protetoras eram escritas por todo o túmulo, e papiros contendo fórmulas para ativar o poder dos amuletos eram colocados junto aos sarcófagos.

Foi encontrada certa maldição registrada na tumba de um homem chamado Petety, que viveu na época da Terceira Dinastia:

Ouçam todos! O sacerdote de Hator castigará duplamente aquele que entrar nesta tumba ou lhe fizer algum mal.

> Havia amuletos imprescindíveis para o defunto, como o Ugiat (Olho de Hórus), que significava a integridade; o Ged (símbolo de Osíris); o Uag (Papiro), que significava prosperidade; e o Ankh (símbolo da vida).

> *Os deuses irão confrontá-lo, pois sou honrado pelo Senhor dos Deuses.*
> *Os deuses não irão permitir que nada me aconteça.*
> *O crocodilo, o hipopótamo e o leão comerão aquele que fizer algum mal à minha tumba.*

Muitos deuses e até humanos, nas antigas histórias do Egito, praticaram as artes mágicas, dizem as narrativas. Mas a arte, a história e os mitos do Egito são tão fascinantes que é difícil, às vezes, separar o que é mítico do que é histórico. Vários fatos da vida de Cleópatra têm o sabor das aventuras de Ísis, a magia praticada por Moisés diante do faraó dá margem a dúvidas, e as grandes construções egípcias parecem fazer parte de uma obra de ficção científica. O que foi real? O que foi adornado com caracteres ficcionais? O que foi simplesmente inventado pela imaginação dos escribas que deixaram fatos inacreditáveis registrados em hieróglifos?

Há mesmo quem afirme que não seria possível aos humanos da época erguer monumentos colossais como as pirâmides, e que há no vale do Nilo vestígios de presença alienígena no planeta. Há quem diga que os deuses egípcios foram reais e possuíam magia. E ainda há os que acreditam serem eles os mesmos deuses gregos, que fugiram da Hélade disfarçados em formas animais, na época em que os senhores do Olimpo enfrentaram uma guerra contra os Titãs e Gigantes.

Seja como for, aqui relatamos tanto mitos e lendas quanto fatos históricos; os leitores que tirem suas conclusões...

ÍSIS COMO SENHORA DA MAGIA

Ísis, a mais importante de todas as deusas, também foi chamada Aset. Já sabemos que seu nome significava "trono", pois ela tinha em si a verdadeira personificação do trono do Egito. Até o adereço de cabeça com que costumava ser representada tinha a forma de um trono ou do hieróglifo designativo desse assento usado pelos reis.

Como arquétipo da Deusa-Mãe, a irmã e esposa de Osíris foi **cultuada** em todo o mundo antigo, mesmo na Grécia e em Roma. Outros povos a identificavam a Ceres (ou Deméter), a divindade greco-romana da agricultura e da fertilidade. Poderosa e sábia, Ísis possuía amplos conhecimentos de magia, maiores do que os dos outros deuses. Muitos de seus atos mágicos ficaram registrados nos mitos, como as metamorfoses em aves ou as transformações em outras pessoas, as magias de cura e imortalidade, a ressurreição de Osíris.

A única coisa que se dizia que ela desconhecia era o nome secreto de Rá, o deus solar, grande soberano de deuses e homens. Pois os egípcios atribuíam nomes próprios a tudo, inclusive às pirâmides. Para eles, saber o nome de uma coisa lhes dava poder sobre aquilo; no entanto, o nome original de um objeto podia ser apagado e substituído por outro, o que atribuía outro significado para o mesmo objeto. Até mesmo os mortos levavam consigo seus nomes próprios gravados na tumba e no sarcófago, temendo esquecê-los na hora de se apresentarem ao tribunal divino.

O mito diz que Rá possuía um trono nos céus de cada parte do país, no Alto e no Baixo Egito, e que todos os dias fazia sua

O **culto** de Ísis também incluía rituais secretos, de que somente o faraó e alguns poucos iniciados podiam participar. Cleópatra resgatou o culto à Senhora da Magia ao adotá-la como deusa principal do Egito, proclamou-se faraó (foi uma das poucas rainhas a fazê-lo) e presidia os rituais secretos dedicados à deusa.

> Esse mito, assim como o do sumiço do olho de Hórus, também explicaria o **eclipse**. Rá, como deus-Sol, era o responsável por levar o Sol de uma extremidade à outra do Egito durante os dias, e percorrer o Duat durante a noite. Quando a serpente o picou, o Sol começou a desaparecer dos céus mesmo sendo o período diurno.

caminhada de um para o outro, acompanhado de seu numeroso séquito, do qual Ísis às vezes fazia parte.

Ora, o deus-Sol estava tão velho que já começava a babar. Então Ísis, aproveitando-se dessa fraqueza, tramou uma artimanha para se tornar ainda mais poderosa do que já era. Seu plano era descobrir o nome secreto de Rá e absorver o imenso poder que ele conferia.

Os deuses egípcios tinham atributos bastante humanos, como alterações de humor e de comportamento. Ísis surge como divindade maternal e esposa exemplar na maioria dos registros; neste mito, entretanto, conhecemos outra face da deusa, capaz de enganar para obter aquilo que desejava. Assim, em uma caminhada, a deusa recolheu algumas gotas da saliva do deus que caíram ao chão, misturou-as com um pouco de terra e modelou uma serpente. Utilizando um de seus encantamentos, deu vida à cobra de argila e a deixou no caminho pelo qual Rá passava. Quando o deus do Sol passou por ali, a serpente o picou e ele começou a gritar de dor.

Sua voz soou tão estridente que foi ouvida por todos os céus. Ninguém no séquito divino podia explicar o que havia acontecido, e muito menos sabiam como ajudar o soberano.

O veneno começava a espalhar-se pelo corpo de Rá, que estremecia, enfraquecido. O Sol parou no meio do céu e **começou a escurecer.** Ao recuperar um pouco as forças, Rá exclamou:

— Ninguém jamais sofreu tamanha dor! Não é fogo, no entanto queima meu coração; não é água, mas meu corpo está molhado de suor e tomado de arrepios. Não sei o que me feriu, só sei que é mortífero. Chamem meus filhos, principalmente os versados em magia, para que me acudam!

Ísis imediatamente prontificou-se a ajudar. Mas, esperta, explicou que nem mesmo seus encantamentos mais poderosos poderiam salvá-lo se não fosse incluído na fórmula mágica a ser recitada o seu nome verdadeiro, que ninguém conhecia.

Rá então revelou todos os títulos que possuía e os inúmeros nomes pelos quais era conhecido entre os deuses e entre os homens do Alto e do Baixo Egito; porém nada disso era suficiente. A deusa tanto insistiu — e a dor era tão grande — que ele não teve alternativa a não ser revelar a verdade.

Seu nome secreto fora gravado por seus pais dentro de seu peito, no momento de seu nascimento, para que ele estivesse sempre protegido de qualquer sortilégio que os inimigos pudessem endereçar-lhe.

Ísis precisou abrir o coração de Rá para conseguir desvendar o segredo. Somente então, já de posse de um enorme poder, ela o pronunciou durante o encantamento e, como havia prometido, curou completamente a picada da cobra.

Foi depois desse fato que Ísis se tornou a mais poderosa entre todos os deuses e deusas, reverenciada por todos.

AS PRAGAS DO EGITO

Nos mitos egípcios é comum vermos o elemento mágico mesclar-se às práticas religiosas. E até em narrativas de outros povos que envolvem o país dos faraós, mesmo os monoteístas, a magia está presente. É o caso da história bíblica sobre as pragas

> Não se sabe ao certo quem seria o **governante** do Egito na época do Êxodo Hebraico. Alguns autores sugerem Amenhotep II, outros, Thutmose III, e ainda há os que afirmam ter sido Ramsés II ou Menerptah. Na Bíblia não é citado o nome do faraó.

> Os **piolhos** atormentaram os egípcios de tempos em tempos e esse incômodo foi um dos motivos, além do forte calor, para terem adotado a depilação total dos pelos do corpo, com o uso da cera egípcia.

que assolaram o Egito: nela, religião, história, magia e mito estão entrelaçados.

Conta-se que tribos do povo hebreu viveram por muito tempo no Egito, e o Livro do Êxodo, da Bíblia, narra a história de como seu líder, Moisés, que fora criado por uma princesa egípcia, pediu a libertação de seus conterrâneos da servidão ao **rei**.

É dito que Yahveh, o deus dos hebreus, o orientou para realizar prodígios e convencer as autoridades egípcias de que sua divindade possuía mais poder que as deles.

Junto ao irmão, Aarão, Moisés foi ao encontro do faraó e jogou diante de todos um cajado que levava: imediatamente o objeto se transformou em uma serpente. No entanto, os sacerdotes egípcios fizeram o mesmo com os seus cajados e, apesar de a serpente gerada pelo hebreu devorar as dos outros, conta-se que o coração do faraó se endureceu e ele se recusou a libertá-los.

Ocorreu então a primeira praga, enviada para castigar o povo do Egito: Aarão tocou o rio que abastecia a cidade com uma vara e as águas se converteram em sangue, matando os peixes e acabando com toda água potável. Mas como os magos egípcios também sabiam realizar esse encantamento, o governante não se comoveu.

A segunda praga foi uma infestação de rãs. Aarão ergueu a mão sobre os rios, ribeiros e lagoas, que ferveram e deles saíram milhares de rãs, que invadiram as terras. Também esse prodígio era conhecido e não foi levado em conta pelos líderes egípcios.

A terceira praga foi o surgimento de **piolhos** por toda a parte: Aarão tocou o pó da terra e ele se transformou em insetos que

TERRA DE MISTÉRIOS

atormentaram tremendamente o povo. Desta vez os sacerdotes, mesmo sabendo produzir piolhos por magia, ficaram impressionados e disseram ao faraó que aquela era uma ação divina; mas ele continuou não lhes dando atenção.

Veio então a quarta praga, que consistiu em uma imensa quantidade de **moscas** que se lançaram sobre as pessoas; miraculosamente, na região de Gessém, em que viviam os hebreus, nenhum desses insetos apareceu.

O faraó, incomodado com isso, pediu a Moisés que fizesse um sacrifício a seu deus para dar um fim naquela praga. Bastou que o líder fizesse uma oração para as moscas sumirem. No entanto, mais uma vez o governante egípcio se recusou a deixar o povo hebreu partir.

Yahveh de novo orientou Moisés a falar com o faraó e exigir a libertação, ameaçando-o com uma peste que contaminaria os animais de criação.

Com a recusa do rei em atender mais esse pedido, a quinta praga veio e fez com que todos os cavalos, jumentos, bois e ovelhas adoecessem e morressem. Para espanto dos egípcios, os animais que viviam nas casas dos filhos de Israel não foram atingidos...

Mantendo-se insensível aos prodígios realizados pelo deus de Moisés e Aarão, o faraó continuava recusando-se a deixar partir os hebreus que serviam em suas terras. E o deus hebraico desencadeou então a sexta praga: os dois irmãos tomaram cinzas da chaminé e as jogaram ao ar no palácio real. Logo úlceras cobriram os corpos de todas as pessoas, através das terras do Egito. Contudo, nem mesmo isso comoveu o coração do rei.

> As **moscas** são muito comuns no Egito, ainda hoje. É uma das reclamações constantes dos turistas. Os egípcios estão tão acostumados, que muitas vezes elas passeiam por seu rosto sem eles sequer notarem. Há vários relatos sobre isso em sites de turismo e documentários.

A sétima praga foi uma chuva inclemente de granizo, que castigou as terras, matando homens e animais, além de exterminar a erva e as árvores nos campos. Surgiu quando Moisés ergueu seu cajado aos céus: o granizo caiu misturado aos raios e ao fogo. Os hebreus, avisados com antecedência, protegeram-se e nada sofreram. Porém o estrago causado aos egípcios foi tanto que o faraó mandou chamar Moisés e pediu o fim do flagelo, admitindo que seu deus era poderoso.

Ele atendeu e ergueu as mãos aos céus, fazendo cessar o granizo. E outra vez sua insistência pela libertação do povo foi ignorada pela autoridade suprema do país; o máximo que os hebreus obtiveram foi uma promessa de que apenas os homens seriam liberados, para que fossem ao deserto e sacrificassem ao deus hebraico. Diante da recusa deles de deixar para trás seus parentes, os guardas os expulsaram do palácio real.

A resposta de Yahveh foi mandar a oitava praga, uma nuvem de gafanhotos que cobriu a superfície da terra e exterminou as plantas, frutos e grãos que haviam restado após o granizo. Vendo as reservas de alimentos destruídas, o faraó tentou comover Moisés, pedindo-lhe perdão. Ele orou a seu deus e forte **vento** soprou do Oeste, carregando os gafanhotos e jogando-os no Mar Vermelho.

Porém a teimosia do faraó prosseguiu, e veio a nona praga: as trevas cobriram o céu e durante três dias não houve luz no Egito. Nada se enxergava... a não ser nas terras ocupadas pelos povos de Israel.

Dizem que esse **vento** era o chamado Siroco, que sopra com grande ímpeto do Oriente para as terras do Egito.

TERRA DE MISTÉRIOS

Desta vez a oferta do rei para que se acabasse a escuridão foi deixar partir os pais e os filhos dos hebreus, sem levarem seus animais. Moisés e Aarão mais uma vez não aceitaram a proposta; foram de novo expulsos do palácio e ameaçados de morte se lá reaparecessem.

A situação era insustentável. E, embora a luz voltasse a iluminar o mundo, a décima praga se abateu com violência sobre os egípcios: à meia-noite de um dia fatal, todos os primeiros filhos de todos os lares morreram.

Desde o primogênito do rei até o do mais humilde escravo, conta-se que cada um dos filhos mais velhos do Egito foi ferido de morte por Yahveh.

Finalmente, após o grande clamor que ecoou por todo o país, com o sofrimento dos pais e mães, o faraó cedeu. A magia dos estrangeiros era demais para os egípcios... O rei ordenou que Moisés e os hebreus deixassem suas terras na mesma hora.

Eles partiram para o deserto com todas as famílias, os rebanhos de animais e suas posses. Levaram muitos alimentos semipreparados, que nem puderam ser terminados. Nos séculos seguintes, seu êxodo e sua passagem pelas terras áridas, em busca da terra prometida de Israel, seria celebrada com o nome de **Páscoa.**

A palavra *Páscoa* em hebraico é *pesach*, que significa "passagem", e tornou-se uma celebração que os povos cristãos também comemoram, embora com outro significado.

INICIAÇÃO AOS MISTÉRIOS

Havia dois tipos de rituais sagrados nos templos egípcios. O primeiro era público, em forma de procissões e festivais, e deles o povo podia participar. Já o segundo era feito a portas fechadas no interior dos templos, e constituía-se nos famosos "Mistérios".

O faraó era a representação viva dos deuses na Terra e detinha o poder supremo. Sendo assim, era ele quem possuía o poder mágico divino e deveria reger esses rituais sagrados junto com o sacerdote. Na prática, contudo, na maioria das vezes o sacerdote fazia tudo sozinho.

Um dos eventos mais importantes para um faraó era o Jubileu Real, também chamado de Ritual Sed. Seu propósito era conceder força física ao rei, que não podia enfraquecer para manter-se no poder. A cada trinta anos de vida era realizado um Jubileu; alguns faraós o repetiam com mais frequência e Ramsés II chegou a celebrar quatorze Jubileus. Não se conhecem muitos detalhes da cerimônia, mas ocorria uma demonstração de força pelo faraó, que precisava percorrer o espaço entre dois montes de pedra, colocados no pátio do ritual. Algumas vezes o boi Ápis o acompanhava, para conferir-lhe sua força.

Embora as mulheres tivessem bastante liberdade e poder de decisão no Egito, poucas presenciaram os rituais iniciáticos secretos, e, em geral, cumpriam apenas o papel de serviçais. Nem mesmo rainhas egípcias podiam tornar-se faraós, salvo as exceções em que algumas se autoproclamaram, como Cleópatra e Hatshepsut. Com a morte de seu irmão e consorte, na Décima Oitava Dinastia, a rainha Hatshepsut proclamou-se faraó, tornando-se a primeira mulher a alcançar tal posição.

Para fortalecer esses laços, ela criou um passado divino, ao mandar gravar em seu templo a história de sua concepção, na qual a mãe teria sido seduzida pelo deus Amon. Proclamou-se, então, "Rei Hórus Feminino" e ordenou que a representassem em pinturas e estátuas com traços masculinos. Já vimos que no Egito a religião e o poder do Estado estavam intimamente ligados; muitas decisões políticas de importância eram tomadas no templo e se consultavam oráculos até no tribunal, durante um julgamento.

Como faraó, Hatshepsut foi também a primeira mulher a ser iniciada nos rituais mágicos do templo. Tais rituais consistiam em diversos encantamentos e episódios; até hoje foram descobertos um total de sessenta e seis, apesar de haver pouquíssimos registros. As práticas eram consideradas sagradas e, portanto, era proibido revelá-las. Em muitos desses ritos, consta que a imagem do deus era cuidada, lavada, untada em óleo, vestida e alimentada. Em troca, o deus proporcionava proteção ao faraó e a todo o reino.

Alguns dizem que os rituais eram realizados nas pirâmides, o que não sabemos se é verdade. Mas muitos cultos iniciáticos que surgiram após essa época tomaram como molde as sequências dos ritos secretos egípcios que se pôde descobrir. As sequências de ensinamentos e testes — às vezes chamados de ordálios — sempre foram reveladas apenas aos iniciados, mantidas ocultas para todas as outras pessoas.

Hatshepsut entrou para a história como uma das mais importantes governantes do Egito, iniciando um período de paz e prosperidade que duraria vinte e dois anos, restaurando e reconstruindo tudo que havia sido destruído no reinado anterior.

Quanto aos chamados cultos de Mistérios, eles foram associados à deusa Ísis e seriam levados à Grécia antiga sob o nome de "Mistérios de Elêusis". Estes foram os mais dura-

---

Hatshepsut não era a herdeira direta ao trono. Na linha de sucessão vinha antes seu meio-irmão Tutmósis III; no entanto, ele era muito jovem e por isso ela pôde assumir o trono. Até hoje não se sabe como ela manteve o domínio sobre Tutmósis por tantos anos, já que, ao sucedê-la no trono, mostrou-se um grande faraó, nada fraco.

douros e famosos ritos da Antiguidade. Na cidade de Elêusis realizavam-se complexas cerimônias iniciáticas que tinham por base a história da deusa Deméter — que alguns acreditavam ser a própria Ísis sob outro nome. Em relatos sobre tais iniciações, os cultos são denominados "Mistérios de Ísis", perpetuando a tradição dessa deusa como uma a poderosa senhora da magia e das revelações.

HERMES TRIMEGISTUS

Alguns autores afirmam que Hermes Trimegistus, também chamado Trismegisto, nome que significa "aquele que é três vezes grande", foi um sábio de origem grega que viveu parte da vida no Egito e ali fez história. Suas ideias eram muito respeitadas, e até sacerdotes nos templos egípcios seguiam seus preceitos. Acredita-se ainda que ele escreveu diversos livros sobre espiritualidade, Filosofia e Ciências, compondo o chamado Corpus Hermeticum. Muito do que Hermes teria escrito perdeu-se no tempo, contudo, restando apenas fragmentos e **textos reescritos** por seus seguidores.

Outros estudiosos dizem que, na verdade, quando se fala em Trimegistus, falamos do deus Thot — que era também o deus grego Hermes, o mensageiro do Olimpo. Como ambos, o egípcio e o grego, tinham livre passagem no reino dos mortos, acabaram confundindo-se em uma só figura. Para complicar, há ainda a tradição islâmica, em que se afirma que Hermes foi um profeta de nome Idris e que seria citado no Corão. Talvez para explicar tantas versões, seus seguidores diziam que ele

---

Até mesmo o **Livro dos Mortos** é creditado a Hermes Trimegistus por alguns estudiosos; no entanto, como veremos, este não é propriamente um livro, mas o conjunto das inúmeras fórmulas mágicas descritas por hieróglifos e representações desenhadas nos túmulos egípcios, a fim de guiar os mortos em sua nova jornada.

possuía a habilidade mágica de se projetar em vários lugares ao mesmo tempo.

Seja como for, homem ou deus, real ou imaginado, a Hermes é atribuída a criação da Alquimia, através dos ensinamentos que teria deixado por escrito em uma famosa obra denominada "Tábua de Esmeralda"; ela traria os princípios das transformações alquímicas.

Um livro publicado em 1908, o Caibalion, traz o que os iniciados da época acreditavam ser as verdadeiras tradições misteriosas vindas do Egito, heranças de Hermes. Chamada Filosofia Hermética, essa tradição se baseia em sete princípios básicos do que o sábio teria chamado de "Leis Universais". Sua destinação seria nortear o desenvolvimento moral e espiritual dos indivíduos.

Assim como ocorre com outras figuras, sejam deuses ou heróis das civilizações antigas, a figura de Hermes Trimegistus sempre estará envolta em mistério. Embora alguns acreditem que ele foi uma pessoa real, não podemos provar: Hermes será mais um personagem perdido nos séculos que nos separam da civilização egípcia...

TUTMÉS E A ESFINGE

A Esfinge é um monumento com a forma híbrida de uma cabeça humana e corpo de **leão**, que se encontra na planície de Gizé, próxima às três grandes pirâmides. Tem mais de setenta metros de comprimento e vinte de altura; e, devido ao constante movimento das areias no deserto, já foi soterrada e desenterrada diver-

> A forma de **leão** do corpo da esfinge de Gizé pode ser associada à força bruta desse animal, que era comparada ao poder e à bravura do faraó. Ou ainda a um curioso fato astronômico: os olhos da esfinge estão direcionados para o ponto mais baixo do nascer do Sol no equinócio (o nascer helíaco, em Astronomia), quando a constelação de Leão se encontra logo atrás.

sas vezes ao longo da história. Acredita-se que quem a mandou construir foi o faraó Kéfren, cujo rosto estaria representado nela.

Hoje encontra-se bastante desfigurada, mas, na época, não era descolorida como a vemos agora. Prova disso é o resquício de tinta encontrado em uma de suas orelhas; acredita-se que fosse decorada com cores vibrantes, provavelmente o vermelho, o azul, o preto, o branco e o dourado, cores disponíveis naquela época e região. E, além da deterioração natural causada pela erosão, durante a invasão de Napoleão Bonaparte o monumento foi usado por seus soldados para o treino de tiro ao alvo, perdendo o nariz e a barba.

Há muito mistério sobre a figura da esfinge e várias teorias a seu respeito foram descritas por pesquisadores do passado, como Plínio e Heródoto. Os antigos egípcios a consideravam uma divindade e muitos acreditavam que um grande faraó fora enterrado sob ela, mas isso nunca ficou provado. Pensava-se também que poderia haver câmaras secretas em seu interior, que conteriam os livros mais antigos da humanidade. Dizia-se até que poderia haver um túnel ligando a esfinge à grande pirâmide — também jamais encontrado. Entre suas patas há uma "Estela", uma grande placa de pedra, em que se encontra escrita a história a seguir.

O jovem príncipe Tutmés era o filho preferido do faraó Amenófis II, mas não era herdeiro direto ao trono, já que não era filho da esposa principal do rei. Com a morte de Amenófis II o Egito se dividiu, e enfrentava muitas rebeliões e guerras. O território ficou sob o comando do novo faraó, considerado legítimo herdeiro do trono.

Vendo muita coisa errada no governo do irmão, e angustiado por não poder impedir a ruína do país e do povo que tanto amava, Tutmés saiu para **caçar** e tentar distrair-se. Após a caçada, descansou, recostado a uma grande pedra nas areias do deserto.

Então teve um sonho. Nele, uma imponente figura, metade homem e metade leão, lhe aparecia e dizia:

— Estou preso. Se me socorreres e me retirares desta areia que me sufoca, dar-te-ei a coroa do Alto e do Baixo Egito, e te farei faraó. Tu és meu filho e deves me proteger.

Ao acordar, Tutmés compreendeu que a esfinge era uma manifestação do deus Rá, que estava sendo esquecido no Egito daquela época, e mandou imediatamente que desenterrassem a pedra, pois o local onde se recostara fazia parte do grande monumento.

Pouco tempo depois de revelar a grande escultura, chegou a notícia de que seus irmãos mais velhos haviam morrido na guerra e, portanto, o jovem passava a ser o único herdeiro do trono.

Ele então se tornou o faraó Tutmés IV, que reinou com paz e sabedoria, adotando Rá como o deus principal do Egito. E para que sua história não fosse esquecida, mandou instalar aos pés da famosa esfinge a Estela com o texto que narra este sonho.

Sabemos que não há apenas essa esfinge no Egito: há inúmeras, e seu culto sempre está ligado ao culto do Sol. De acordo com os mitos, quando Rá atravessa o subterrâneo com sua barca, passa pelas gargantas do leão protetor do ocidente e do leão protetor do oriente.

> A **caça** era uma atividade muito praticada no Egito. O produto da caça era dividido em três partes: uma era destinada ao pagamento do imposto sobre a atividade, outra para as oferendas religiosas e outra para a alimentação. O hipopótamo e as aves eram as espécies mais caçadas.

As esfinges seriam, então, a representação desses leões protetores, e por isso foram encontradas na entrada dos templos — para proteger os bons e aniquilar os maus, que nem ousam se aproximar. E, embora a esfinge de Tutmés IV tenha cabeça humana, as que foram encontradas no templo de Karnak possuem corpos de leão e cabeças de carneiro, o que as associa a Amon-Rá.

O fascínio criado pela cultura egípcia no resto do mundo foi tão grande que até mesmo os gregos adotaram alguns de seus costumes. E a imagem da **esfinge,** vista pelos viajantes, foi muito copiada na arte grega, ainda que um pouco modificada, chegando a ganhar asas em alguns momentos. Para o povo da Grécia, representava uma criatura terrível, que devorava aqueles que não decifrassem seus enigmas. Daí a origem da famosa frase que encontramos no famoso mito grego de Édipo: "Decifra-me ou devoro-te!"

O PÁSSARO BENNU

Muitos povos possuem contos sobre pássaros miraculosos. Os eslavos falam no Zhar-Ptitsa, o Pássaro de Fogo; os chineses contam sobre a Fenghuang, uma ave símbolo da virtude e da graça. Porém, o mais famoso de todos eles é a Fênix, cujo nome vem do grego phoínix. Mas o mito grego da ave ligada ao Sol sempre se associa à história do pássaro Bennu, venerado em Heliópolis.

Algumas tradições dizem que a ave nasceu do coração de Rá, o deus-Sol. Outras juram que o Bennu-Fênix foi criado por si mesmo, e que auxiliou na geração do mundo. Ele seria a

> Segundo a tragédia Édipo Rei, do escritor grego Sófocles (406 a 496 a.C.), tratava-se de uma criatura antropófaga que devorava as pessoas que passavam a caminho da cidade de Tebas. A **esfinge** lhes propunha um enigma: se o decifravam, saíam livres; se não respondiam corretamente, eram mortas e devoradas. Édipo decifrou a charada e o monstro morreu, suicidando-se.

transformação de Rá, que teria voado sobre as águas de Nun, o oceano primordial, e com seu grito ou canto teria dado início à criação. Mas, como símbolo de renascimento, também está ligado ao deus Osíris.

Autores modernos acreditam que as histórias sobre essa ave se basearam na garça-real, que vive junto a rios ou lagoas; porém, os mitos a descrevem como sendo bem diferente das garças: teria a plumagem vermelha e dourada, lembrando os raios do sol, e seu tamanho seria como o de uma grande águia. Tantos foram os relatos sobre ela que os antigos estudiosos da natureza e mesmo historiadores como Heródoto contavam-na entre os animais que realmente existiam.

Acreditava-se que o Bennu, ou Fênix, seria única no mundo. Haveria apenas uma, com uma vida prolongada e durando de quinhentos a mil anos — há até quem fale em cinco mil anos. Seu poder era imenso: podia carregar pesos que nenhum homem aguentaria, e suas lágrimas teriam o poder de cura. Sua aparição era sinal de boa sorte, pois era filha do Sol e ligada aos deuses da luz.

Porém, mesmo uma vida tão longa chegava ao fim. Ao sentir que a morte se aproximava, a Fênix reunia gravetos e montava uma pira funerária para si mesma, com plantas odoríferas como o olíbano, erva sagrada usada nos incensos. Ao surgir do primeiro raio de sol, ela se assentava sobre a pira, que se incendiava, e deixava-se queimar. Começava a cantar e seu canto era o mais belo do mundo, baseado em cinco notas, e transmitia alegria e esperança a quem o ouvisse. Mas a

> Essa é mais uma explicação dos egípcios para os **eclipses** do sol: Rá se escondia pois não desejava ver a morte de sua filha, a ave-símbolo do renascimento.

canção tornava-se cada vez mais triste, durava até que o fogo consumisse totalmente a bela ave. Diz-se que Rá **ocultava sua face** para não ver a pira apagar-se e consumir aquela que nascera de seu coração.

Transformada então em um monte de cinzas, a fênix renascia. Das cinzas emergia um ovo que se partia e de onde saía uma nova ave, filha do Sol. Sua primeira providência era reunir as cinzas restantes, os restos mortais daquela que lhe dera origem, e voar até Heliópolis, onde os depositava como uma oferenda sagrada no altar de Rá.

OS COLOSSOS DE MEMNON

O faraó Amenhotep III, também chamado Amenófis, viveu entre os anos 1402 e 1364 a.C. E foi imortalizado em duas esculturas imensas que o retrataram sentado, atestando as características divinas dos reis egípcios. Localizadas na margem esquerda do Nilo, perto de Tebas, as estátuas mediam mais de 15 metros de altura e faziam parte da tumba do faraó. No entanto, o tempo devastou seu túmulo e restaram apenas as esculturas, testemunhas de uma era de paz e carregadas de certa magia que espantou muita gente ao longo dos séculos.

Na Antiguidade, todas as manhãs, a estátua localizada mais ao Norte soltava um lamento pungente. Foram muitos os relatos desse fenômeno impressionante, o que levou milhares de pessoas a visitarem a região e conferirem o choro da figura de pedra. Os gregos, que sempre tentavam encontrar uma explicação para tudo, deram um novo nome às efígies de

Amenhotep III: Colossos de Memnon. E contaram sobre elas uma história que se espalhou pelo mundo.

Memnon era filho da deusa Aurora e de Titonos, descendente do rei troiano Laomedonte. Como rei da Etiópia, Memnon participou da Guerra de Troia levando um enorme exército para socorrer os troianos, que haviam sido atacados pelos gregos. Tão forte, honrado e destemido era ele que os deuses o protegeram, até que morreu em duelo com o invencível guerreiro Aquiles.

Sua mãe, a Aurora, pediu ao deus supremo do Olimpo, Zeus, que honrasse seu filho; por isso de sua pira funerária saíram muitos pássaros, que foram consagrados ao herói. Ainda segundo essa narrativa, todas as manhãs a deusa Aurora surgia no horizonte, clareando o céu, e ao ver os colossos chorava a morte do filho. Em resposta à tristeza materna, Memnon lamentava-se — e era a sua voz que ecoava nos arredores de Tebas.

Entre os inúmeros viajantes que foram conferir as imensas estátuas e conferir o mágico som que uma delas emitia estavam imperadores romanos, como Adriano e Séptimo Severo. Ambos deixaram seus nomes gravados na pedra egípcia, como legítimos turistas.

O imperador Severo achou as esculturas tão belas que mandou restaurá-las. Infelizmente sua boa intenção foi fatal para o mito: após a restauração, os **lamentos** de Memnon, ou Amenhotep III, nunca mais foram ouvidos. Mas até hoje os Colossos de Memnon podem ser visitados no Egito, atestando a grandiosidade das construções faraônicas.

Acredita-se que o **som** produzido pela estátua se iniciou vinte e sete anos antes de Cristo, quando um terremoto abalou a região e causou uma grande rachadura na estátua mais ao Norte; o som seria, então, causado por efeitos físicos de umidade e calor que ocorreriam pela manhã, ao nascer do sol. Por isso, após a restauração da escultura, com o "conserto" das rachaduras, o "canto" de Memnon não foi mais ouvido.

QUÉOPS E AS PIRÂMIDES

Nada é mais significativo em nossa visão da civilização egípcia do que as pirâmides. Monumentos imensos, que muitos tentaram explicar das formas mais diversas, e que até hoje desafiam nossa interpretação. Seriam túmulos? Locais sagrados para iniciação ao culto dos deuses? Pistas de pouso para OVNIs? Uma coisa é certa: são os maiores monumentos de pedra do planeta.

A mais conhecida — e mais alta — de todas é a pirâmide de Quéops, também chamada Grande Pirâmide. Foi construída em Gizé, no Norte do Egito, para servir de tumba a um faraó do Antigo Império que governou por mais de duas décadas: Khufu, também denominado Khêops, Cheops ou Quéops. Ele seria filho do faraó Snefru, o fundador da Quarta Dinastia.

Durante seu reinado, teria mandado erguer a imensa tumba — alguns dizem que seria para abrigar seu corpo mumificado depois de morto, embora dentro dela não tenham sido encontrados seus restos mortais e muito menos inscrições e decorações funerárias, comuns nos túmulos egípcios. Por algum motivo, nas três grandes pirâmides não há hieróglifos nas paredes.

É incrível imaginar que uma obra tão grandiosa tenha sido erigida em apenas vinte anos. A construção tem 146 metros de altura e 233 metros nos quatro lados que formam sua base. É constituída por grandes blocos de pedra lapidada, que pesam mais de duas toneladas cada um, e que parecem ter sido laboriosamente encaixados para "montar" a pirâmide.

Segundo o engenheiro Peter James, que trabalhou por mais de vinte anos na manutenção das pirâmides, os gigantescos blocos externos foram empilhados sobre uma pequena base interna, a qual foi preenchida por fora com entulho e tijolos. Sua teoria recebeu o descrédito dos arqueólogos, que afirmam que as pirâmides foram construídas a partir do empilhamento das pedras, através de rampas de acesso; há narrativas antigas que dizem que, para erguer os monumentos, era preciso primeiro nivelar o terreno e assentar as pedras da base; depois, construíam-se as tais rampas com cascalho. Por essas rampas transportavam-se, talvez fazendo-os deslizar, os pesados blocos de pedra que iriam aos poucos formar o monumento.

Os alicerces da **Grande Pirâmide** são feitos em basalto negro, uma rocha vulcânica resistente ao extremo. E em seu interior foi encontrada apenas a gravação do nome do faraó, atestando que foi erguida para ele. Pesquisadores acreditam que sua aparência, assim como a das outras grandes pirâmides, devia ser extraordinária no passado.

A entrada atual foi aberta por um califa já na nossa era, e lá dentro há uma passagem descendente que vai dar em uma câmara aparentemente inacabada. Depois encontra-se outra passagem, esta ascendente, levando a um espaço maior que foi denominado Câmara da Rainha.

Apesar do nome, não se acredita que realmente ali seria sepultada a esposa do faraó; alguns dizem que o local teria servido para a colocação de uma estátua do rei em tamanho real. Daquele ponto a subida continua até chegar à "Grande Galeria", o acesso ao coração da pirâmide: a Câmara do Rei, cujo único componente é um enorme sarcófago de granito.

No final da construção das pirâmides, era feito em torno de tudo um revestimento com pedras menores e mais lisas; infelizmente, muito desse acabamento foi se deteriorando ao longo dos séculos, deixando as pirâmides que sobrevivem até hoje com formato de degraus. Os blocos de pedra calcária da **Pirâmide de Quéops** originalmente refletiriam a luz do sol, e seu topo teria ainda um revestimento de ouro puro, o que devia conferir-lhe mais brilho.

Ao redor da Grande Pirâmide existiu uma extensa necrópole, ou cemitério, que abrigava tumbas, mastabas e templos: o complexo foi chamado Akhet-Khufu, o horizonte de Khufu. Parte das construções desse complexo sobreviveu aos séculos e pesquisadores reconstituíram o desenho de como tudo teria sido no passado.

Havia várias pequenas pirâmides, que se acreditam terem sido erigidas para sepultar as esposas do rei e de seus descendentes; foi encontrado ainda o túmulo de sua mãe, a rainha Hetepheris I. E existiam ainda templos, mas não dedicados aos deuses, como os que eram comuns nas cidades: estes eram dedicados a cada faraó, para que se glorificasse a vida deles, com as inscrições celebrando suas realizações.

Há duas **pirâmides** próximas, também enormes, porém menores que a de Quéops; uma delas, a mais bem preservada, foi o túmulo de seu filho Khafre ou Quéfren, que o sucedeu no governo do Egito e que teria possuído várias esposas e muitos filhos. Sua pirâmide é considerada por muitos como um dos mais representativos exemplos dos projetos arquitetônicos das monumentais tumbas da época. No acesso a esse monumento localiza-se a famosa Esfinge, a grande escultura de uma criatura mítica com corpo de leão e cabeça humana, uma espécie de guardião da tumba do faraó.

Outra pirâmide de grandes dimensões presente na necrópole é dedicada ao sucessor de Quéfren e neto de Quéops, que se chamou Menkaure ou Miquerinos. Esse faraó é mostrado, em um templo próximo à sua tumba, em várias estátuas de

> Todas as **pirâmides** do Egito se situam no lado Oeste do Nilo, na direção do sol poente. Nas valas ao redor das três grandes pirâmides de Gizé foram encontrados barcos desmontados de madeira; acredita-se que estariam lá com o objetivo de levar os mortos em sua viagem pós-túmulo.

arenito e alabastro. Ele foi esculpido em tamanho natural junto à deusa Hator, tendo ao lado sua esposa e outras divindades.

Nunca foram encontrados corpos ou múmias nessas três grandes pirâmides, o que gerou as hipóteses diversas sobre sua utilização; além disso, as paredes são desprovidas de decoração, diferentemente do que acontece em demais monumentos egípcios, como as tumbas encontradas no Vale dos Reis, a Oeste do rio Nilo. Nesse vale os pesquisadores encontraram inúmeras câmaras e túmulos, que se acredita terem sido utilizados para o enterro de faraós do Novo Império.

Outro cemitério egípcio, porém mais recente, do período greco-romano, é o Vale das Múmias Douradas, onde os arqueólogos acreditam estar enterradas mais de dez mil múmias.

Em 2011 foram encontradas as vinte primeiras "múmias douradas" que deram nome ao vale. Seus sarcófagos eram ricamente decorados e alguns dos corpos embalsamados usavam máscaras de ouro. Nesse mesmo vale foram desenterradas ainda moedas de ouro e ânforas de vinho; acredita-se que as moedas seriam usadas para comprar a entrada para o reino dos mortos.

Segundo a narrativa do historiador grego Heródoto, Quéops, o construtor da Grande Pirâmide, foi um tirano. Ele teria mandado fechar os templos dos deuses e proibido os sacrifícios, motivo pelo qual foi muito criticado. Também é dito que ele explorou exaustivamente e causou a morte de milhares de escravos na construção de seu monumento funerário. No entanto, outros relatos mostram um retrato diferente do faraó, e a esta altura — quase cinco mil anos após

As Sete Maravilhas do Mundo antigo foram:
1) A pirâmide de Quéops;
2) Os jardins suspensos da Babilônia;
3) A estátua de Zeus em Olímpia;
4) O templo de Ártemis em Éfeso;
5) O Mausoléu de Halicarnasso;
6) O Colosso de Rodes e
7) O farol de Alexandria.

seu tempo — não podemos saber ao certo como foi seu governo ou qual seria seu verdadeiro caráter.

Podemos dar crédito apenas à evidência incontestável de que Quéops mandou construir a mais impressionante das obras arquitetônicas da Antiguidade, que foi contada entre as **Sete Maravilhas do Mundo**, e que é o único desses famosos monumentos a continuar inteiro no planeta.

AKHENATON E NEFERTITI

O jovem príncipe Amenhotep IV (em alguns livros, seu nome é grafado Amenófis) havia acabado de herdar o trono do Egito. Transcorria a Décima Oitava Dinastia do Novo Reinado e o país, embora politeísta, era dominado pelos grandes sacerdotes de um deus: Amon, a divindade escolhida pelos faraós das gerações anteriores como a principal a ser cultuada.

Amenhotep IV era um rapaz brilhante; talvez tenha sido o faraó mais inteligente e culto de todos os tempos, mas a verdade é que ele, mesmo usando a coroa, não detinha poder algum sobre o trono do Egito. Quem governava realmente eram os sacerdotes tebanos.

Como era costume, era preciso que o novo rei adotasse um deus principal e, embora os sacerdotes de outras cidades preferissem Rá ou Ptah, os líderes religiosos de Tebas cultuavam Amon — e não queriam que nada mudasse. Para manter a situação vigente, usaram de toda a sua influência para convencer o jovem rei a adorar o deus de seu pai e faraó antecessor.

Amenhotep, porém, sabia que, para que pudesse estabelecer o seu poder sobre o governo, era preciso agir com firmeza. Decidiu tomar medidas extraordinárias, nunca antes vistas no Egito.

A primeira medida foi escolher um novo deus. Este deveria refletir a sociedade da época, pois o Egito era formado por cidadãos procedentes de diversos países e regiões, e pertencentes a diferentes etnias; teria de haver um deus único, que servisse para todos.

O escolhido foi Aton, um deus-Sol até então pouco cultuado e de menor importância no panteão egípcio. A segunda medida foi trocar seu próprio nome, de Amenhotep para Akhenaton, em homenagem ao novo deus. O significado de seu novo nome era "Aquele que serve a Aton".

Os sacerdotes não gostaram nem um pouco da ideia e tentaram interferir, mas Akhenaton não se dobrou. Mandou fechar os templos, tomou-lhes os bens em nome do deus único, e proclamou que apenas ele seria o sacerdote de Aton. Para garantir o poder da divindade, mandou construir uma nova cidade, a duzentos quilômetros da antiga capital, Tebas, que chamou de **Akhetaton**. Para lá mudou-se o rei com toda a corte, proclamando-a a nova capital do Egito.

Com toda essa mudança, Akhenaton gravou seu nome para sempre na História, criando um dos primeiros estados monoteístas de que se tem notícia.

O deus único de Akhenaton era um deus de todas as pessoas, independentemente de sua raça, origem ou posição

Essa localidade hoje é conhecida como **Amarna**. O sítio arqueológico dista pouco mais de trezentos quilômetros da cidade do Cairo, atual capital do Egito.

social. Prova disso está em um poema escrito pelo próprio faraó, e que chegou até nossos dias. Um trecho desse poema diz o seguinte:

> "... Tu, deus único, fora de ti nenhum outro existe.
> Tu criaste a Terra ao teu desejo, quando estavas só,
> com os homens, o gado e todos os animais selvagens,
> e tudo o que há sobre a terra — e anda sob seus pés —
> e tudo aquilo que está no espaço, e os países estrangeiros,
> a Síria, a Núbia e a terra do Egito. Tu colocaste todo
> homem em seu lugar, proveste as suas necessidades,
> cada um com o seu alimento... e todos os países
> estrangeiros e distantes, tu fazes que também eles vejam.
> Tu és o Aton do dia sobre a Terra."

Há um texto de certo general chamado Mai, inspetor das tropas, que comprova a forma como Akhenaton dava oportunidades a todos que comungavam de suas ideias: "Eu era apenas um camponês, porém ele me promoveu a general, por eu ter assimilado seus ensinamentos".

Nefertiti foi a esposa principal e favorita de Akhenaton. Julgada a mais bela mulher da época, considerada uma das rainhas mais atraentes que já existiu, ela segue fascinando o mundo pela aura de mistério que a rodeia. Seu nome significa "A bela chegou", o que para os arqueólogos é forte indício de que se tratava de uma estrangeira, provavelmente irmã ou meia-irmã de Akhenaton. Seu busto em pedra é uma das mais famosas obras de arte egípcias, criada por Tutmósis, um importante escultor egípcio cuja oficina foi encontrada quase intacta entre as ruínas de Akhetaton.

Akhenaton revolucionou a arte praticada em seu tempo, exigindo que os artistas da época representassem a ele e a sua família da maneira mais realista possível, bem diferente das técnicas praticadas antes. Assim, os corpos esguios dos faraós anteriores foram substituídos por um faraó e uma rainha de barriga levemente proeminente, que possuíam **cabeças alongadas**.

O faraó teve seis filhas com Nefertiti e reinou de maneira pacífica em Akhetaton, isolando-se do resto do país. Embora ali todos tivessem oportunidades, não importando a origem, e a população local estivesse satisfeita com seu reinado, o Egito sofria com ataques do povo hitita e com frequentes revoltas. Esses fatos se agravaram com a falta de apoio bélico do faraó. Depois de algum tempo, os hititas já haviam conquistado diversas regiões próximas e ambicionavam tomar o Egito inteiro. Akhenaton recebia inúmeras cartas de reis de países vizinhos e de nobres de seu próprio país, pedindo ouro e soldados para a guerra, mas ele lhes enviava apenas alimentos.

Há indícios de ter havido algum desentendimento entre ele e a bela Nefertiti, o que causou profundos sofrimentos ao faraó. O fato é que Nefertiti desapareceu da História no décimo quinto ano do reinado do faraó, sem deixar vestígios. Sabe-se apenas que ela ficou reclusa após o misterioso incidente com o marido, mas depois disso não se tem ideia do que houve com ela.

> As **cabeças alongadas** de Akhenaton e das seis filhas que teve com Nefertiti foram alvo de lendas sobre uma possível origem extraterrestre.

Sem apoio de outros nobres, dos antigos sacerdotes e do povo egípcio, Akhenaton não pôde evitar a própria ruína. Seu isolamento agravou-se com a morte de uma de suas filhas prediletas e com o distanciamento (ou desaparecimento) de Nefertiti. Há quem acredite que o faraó se entristeceu tão profundamente que não demorou muito a morrer. Outros afirmam que ele foi assassinado a mando dos sacerdotes de Tebas, em seu desejo de vingança pela perda de poder. Seja como for, após sua morte a cidade de Akhetaton foi destruída e abandonada, os sacerdotes recuperaram o domínio que tinham antes e o povo retornou ao politeísmo. Foi seu filho, Tutankhâmon, que o falecido faraó teve com uma esposa secundária, quem o sucedeu no trono.

Não há muitos relatos sobre Akhenaton. E é possível que existam tão poucos documentos comprovados, sobre o faraó e Nefertiti, por motivos políticos: após a morte de ambos, seus inimigos apagaram ou destruíram tudo o que podiam sobre aquela época e as reformas realizadas. Esse era o costume... Mesmo assim, algo permaneceu, permitindo-nos hoje saber ao menos parte da misteriosa história do faraó que acreditava em um deus único.

TUTANKHÂMON

Era a tarde do dia 17 de novembro de 1922. Após alguns anos fazendo escavações arqueológicas no Vale dos Reis, o egiptólogo inglês Howard Carter e seu patrocinador, Lord Carnavon, abriram a porta que selava a câmara mortuária da tumba de um faraó. Lá dentro, iluminaram pela primeira vez, com lâmpadas elétricas, o sarcófago de ouro que media mais de cinco metros de comprimento por três de altura. Não sabiam ainda que aquela era só a primeira das várias urnas que protegiam a múmia do rei, encaixadas umas dentro das outras.

Nas câmaras ao redor, descobriram centenas de peças em ouro e gemas preciosas, estátuas, imagens dos deuses, móveis, alimentos, instrumentos musicais, carruagens — tudo de que uma pessoa precisaria para continuar vivendo, e não uma vida simples, mas uma de luxos a que a realeza antiga devia estar acostumada, fora colocado dentro da tumba para garantir a existência futura do faraó. Havia até mesmo um **jogo**, talvez para distrair o falecido nas horas de tédio do pós-morte...

A emoção dos pesquisadores e as incalculáveis riquezas desvendadas ali foram registradas em fotografias, e também nos relatos dos que estavam presentes à ocasião. Foi o maior de todos os tesouros jamais encontrados no Vale dos Reis, no país inteiro — e talvez no planeta. Cada inscrição, cada objeto, cada joia nos trouxe mais informações sobre a vida cotidiana dos antigos egípcios.

Já antes da tremenda descoberta do sarcófago, os exploradores haviam encontrado selos contendo o nome do nobre ali enterrado: ninguém menos que o faraó Tutankhamun ou Tutankhâmon. Por isso, aquelas descobertas se revestiam de grande significado.

Embora ele não tenha sido um dos importantes reis do Egito, hoje é provavelmente um dos mais conhecidos, justamente por

---

Os egípcios adoravam **jogos** de tabuleiros, como o "Cães e Chacais", o "Mehen" e o "Senet". Talvez o mais popular tenha sido o "Senet", tabuleiro que lembra muito um jogo de gamão, e que foi encontrado na maioria dos túmulos, de plebeus a faraós. Esse é o jogo mais antigo do qual se tem conhecimento; há uma imagem dele na tumba da rainha Nefertári, de 3.500 a.C.

> Muito se falou sobre uma "maldição da múmia" existente na **tumba** de Tutankhâmon, que teria levado à morte Carnavon, Carter e pessoas ligadas à escavação ou presentes no desvelamento das câmaras. Tais mortes misteriosas despertaram o surgimento de lendas. Espalhou-se que havia uma inscrição na tumba com os dizeres "A morte virá com asas ligeiras para aqueles que perturbarem o repouso do faraó". Mas acredita-se que o que pode ter ocorrido foi a contaminação por bactérias contidas na tumba. Hoje em dia os arqueólogos são mais precavidos e isso não acontece.

sua **tumba** ter sido descoberta intacta, fato raro e que surpreendeu o mundo. As riquezas incalculáveis encontradas em seu túmulo dão conta de que, em câmaras mortuárias de faraós mais ricos e poderosos, devia haver muito mais objetos valiosos… que provavelmente foram roubados no decorrer dos séculos por inúmeros ladrões de tumbas.

Na verdade, parece que a morte precoce do jovem rei obrigou sua família a utilizar para ele um túmulo já aberto, em vez de construir um dos grandes mausoléus, pirâmides ou outras tumbas que hoje chamaríamos de "faraônicas".

Filho do faraó Akhenaton e enteado da rainha Nefertiti, ele recebeu quando criança o nome de Tutankhaton, que significava "Imagem viva do deus Aton". Isso porque seu pai tinha sido o introdutor do culto a Aton em substituição ao dos deuses antigos, desagradando bastante a classe sacerdotal. Após a morte de Akhenaton houve algumas regências e, afinal, o filho que o falecido rei tivera com uma de suas esposas, talvez uma irmã, foi coroado faraó.

Nessa ocasião Tutankhaton tinha apenas **dez anos**; casou-se com sua meio-irmã Ankhesenaton ou Ankhesenpaaton, de nove. Ela era filha de Nefertiti e Akhenaton e, portanto, meia-irmã do rei Tut. O nome da princesa significava "Ela vive para Aton". Mas não demorou para que seus nomes fossem mudados para Tutankhâmon e Ankhesenâmon.

Sabe-se que o Egito, sob o reinado de Akhenaton, havia mudado de capital e decaído em poder militar. E seu filho, ao tornar-se o novo governante, teve como conselheiro o vizir Ay, que

TERRA DE MISTÉRIOS

seria faraó depois dele; talvez tenha sido sob seus conselhos que ele renunciou às mudanças político-religiosas implantadas pelo pai. Saía de cena o deus Aton, voltava ao poder o deus Amon.

O jovem rei, apesar de todos os problemas de saúde que aparentemente enfrentou, reinaria durante nove a dez anos, aproximadamente entre 1332 e 1323 a.C.

A análise da múmia desse rei-menino revelou que sua morte se deu quando tinha dezoito ou no máximo dezenove anos. Radiografias e exames diversos mostraram que ele sofria de escoliose e tinha uma fratura no joelho, além de ser portador de várias doenças, como a malária. Havia bengalas na tumba, que sugerem ter ele tido dificuldade em andar. Assim, apesar de que muitas hipóteses se espalharam sobre sua morte — de que teria sido assassinado ou morrido num acidente de carruagem — o que parece é que ele faleceu devido a uma saúde frágil. Após sua morte, a jovem esposa tentou arranjar um casamento com um príncipe hitita, mas isso nunca aconteceu. Ela teria se casado mesmo com Ay, o vizir, e morreu sem deixar **descendentes** para a Dinastia.

A máscara mortuária de Tutankhâmon, feita segundo os traços de seu rosto jovem, em ouro, pedras preciosas e vidro colorido, é uma das imagens mais conhecida dos tesouros dos faraós egípcios. Carter, o egiptólogo que desvendou sua tumba, descreveu seu aspecto como "um jovem rosto, sereno e meigo. Era nobre e distinto, regular, com lábios bem marcados".

E o mesmo Carter conta que, ao abrir-se a última urna que continha o corpo do faraó, sobre a placa dourada que

> Consta que Ankhesenâmon teve **duas filhas**, que infelizmente morreram antes do termo. Os fetos, também mumificados, foram encontrados na tumba do faraó.

o recobria, retratando o rosto plácido e as mãos que seguravam os símbolos da realeza, foi encontrada uma pequena coroa de flores secas. Acredita-se terem sido ali colocadas pela jovem esposa que perdia prematuramente o marido.

Mais que o ouro, as joias e as centenas de adornos presentes na tumba, foi aquele objeto tão simples e humano que mais impressionou o homem que estava acostumado a desenterrar milhares de riquezas do fundo da terra.

CLEÓPATRA

Quando Alexandre, o Grande, invadiu o Egito, em 332 a.C., deu-se início a um período de dois séculos e meio de domínio grego, que foi chamado período Ptolomaico, devido a uma série de faraós de origem grega que adotaram o nome Ptolomeu.

Cleópatra Thea Filopátor, ou Cleópatra VII, embora tenha sido a sétima de sua linhagem, foi a figura mais notória do antigo Egito e não há quem já não tenha ouvido falar dela, ou não associe a imagem do país a ela.

Última governante da **dinastia Ptolomaica,** reinou primeiramente ao lado do pai, Ptolomeu XI, até herdar o trono aos dezoito anos de idade. Posteriormente, reinou ainda com dois de seus irmãos.

Consta que não era exatamente uma mulher bonita, mas era muito sedutora, culta e inteligente; falava todas as línguas conhecidas na época. Foi a única governante da dinastia Ptolomaica que ainda falava a língua egípcia, já quase esquecida.

Embora tenha nascido em Alexandria, no Egito, Cleópatra vinha de uma longa linhagem de faraós de **origem grega.** *Alexandria foi fundada por Alexandre, o Grande, cerca de 300 anos antes e era a menos egípcia das cidades egípcias. Ali se estabeleceu a família de Cleópatra desde os tempos de Alexandre.*

Sob o comando do imperador Júlio César, Roma tornara-se o país mais poderoso do mundo. O Egito era o segundo na lista, sendo o mais rico dos dois. As tentativas de diplomacia de Cleópatra com Roma não eram bem-vistas pelo povo egípcio; foi até iniciado um boato de que ela tramava o assassinato do irmão. Os conselheiros do jovem rei uniram suas forças contra a rainha, que teve de fugir para o deserto. Lá, ela iniciou seu próprio exército junto aos árabes.

Ao saber que o imperador romano, Júlio César, estava no palácio de Alexandria, Cleópatra tramou um plano para entrar sem ser vista. Segundo o historiador Plutarco, ela se escondeu em um **saco de cobertores** (ou tapetes) e foi carregada por um de seus homens, que a levou até César. O imperador ficou encantado com a coragem e astúcia daquela mulher. Ambos iniciaram um romance e ela teria um filho dele meses depois.

Por um ano e meio Cleópatra viveu em Roma ao lado de César, mas ele não a desposou como ela esperava e, após a morte do primeiro consorte, a fez casar-se com seu outro irmão, Ptolomeu XIV, mantendo o costume do Egito de realizarem-se casamentos entre herdeiros do trono. Mais tarde, com o assassinato de César e temendo por seu filho, ela fugiu de volta para o Egito.

Seu irmão e segundo consorte, porém, sofreria uma morte misteriosa, pela qual alguns a acusaram. E, sem um novo rei para ocupar o trono, Cleópatra proclamou-se faraó para reinar sozinha, assim como havia feito a rainha Hatshepsut antes dela. Teria apenas o filho de Júlio César, chamado Ptolomeu César ou Cesário, a seu lado.

> O cinema tornou essa cena notória, com o filme de 1963, estrelado pela atriz Elizabeth Taylor. A diferença era que, no filme, a rainha enrolou-se em um **tapete**.

Alguns dizem que Cleópatra era **bela**. Outros afirmam que não era tanto, mas que se cuidava muito; consta que ficava até seis horas mergulhada em banhos com ervas aromáticas, enquanto vinte damas de companhia a auxiliavam. Seus cabelos eram avermelhados, segundo diversos escritos da época, porém não se sabe ao certo se naturalmente ou se pelo costume das mulheres egípcias de usarem henna vermelha para tingir os fios brancos.

Cleópatra era uma excelente estrategista e, sob o seu comando, o Egito floresceu. O comércio se expandiu, os cofres reais encheram-se rapidamente. E a incomparável rainha ainda se apaixonaria mais uma vez na vida: por Marco Antônio, general romano ao lado do qual reinou sobre o Egito. A maneira com que se apresentou a Marco Antônio contribuiu ainda mais para fortalecer o mito que existia a seu respeito. Afinal, Cleópatra vinha de uma linhagem de faraós que dominavam o Egito há quase trezentos anos, e era considerada por muitos como a própria deusa Ísis.

Marco Antônio tentou conhecer a rainha e reestabelecer os laços romanos com o Egito, mas ela sempre evitava o encontro; esperava um momento oportuno. Quando achou que esse momento havia chegado, mandou preparar uma das barcas reais, ricamente decorada, embarcou e passeou pela margem do Nilo exatamente em frente ao local onde estaria o comandante romano.

A visão que o belo general teve foi extraordinária. A popa da barca era folheada a ouro e as velas de cor púrpura estavam infladas. Os remadores usavam remos de prata e os músicos tocavam flauta e alaúde. A rainha escolhera para acompanhá-la as servas mais belas, que repousavam por toda parte vestidas com tecidos delicados. Pequeninos servos trajados como cupidos alados a abanavam, e o perfume exótico dos muitos incensos espalhava-se pelo Nilo.

Cleópatra surgiu como uma aparição, deitada de **maneira sensual** sobre um dossel de ouro. O povo correu para

TERRA DE MISTÉRIOS **113**

as margens, desejando ver aquela deusa de perto. Houve quem afirmasse estar diante de Afrodite, que vinha se unir a Dionísio para, juntos, conquistarem a Ásia e ampliarem o domínio egípcio.

Fascinado, Marco Antônio a convidou para um jantar, convite que ela recusou, exigindo que ele fosse até ela; foi imediatamente obedecida. O jantar aconteceu no palácio e o general se espantou com a riqueza que viu. Os dois ficaram juntos dali em diante, e tiveram três filhos.

Porém, o sucessor de César, Otávio Augusto, não estava feliz com aquela aliança; aquilo o impedia de tomar para si todo o vasto tesouro dos cofres do Egito.

A rainha e seu novo consorte reuniram um exército em defesa de sua família e de todo o Egito, mas o imperador não estava disposto a ceder, e só se viu tranquilo ao enviar um enorme contingente contra os egípcios. Para impedir o vexame da derrota inevitável, Cleópatra e Marco Antônio cometeram suicídio.

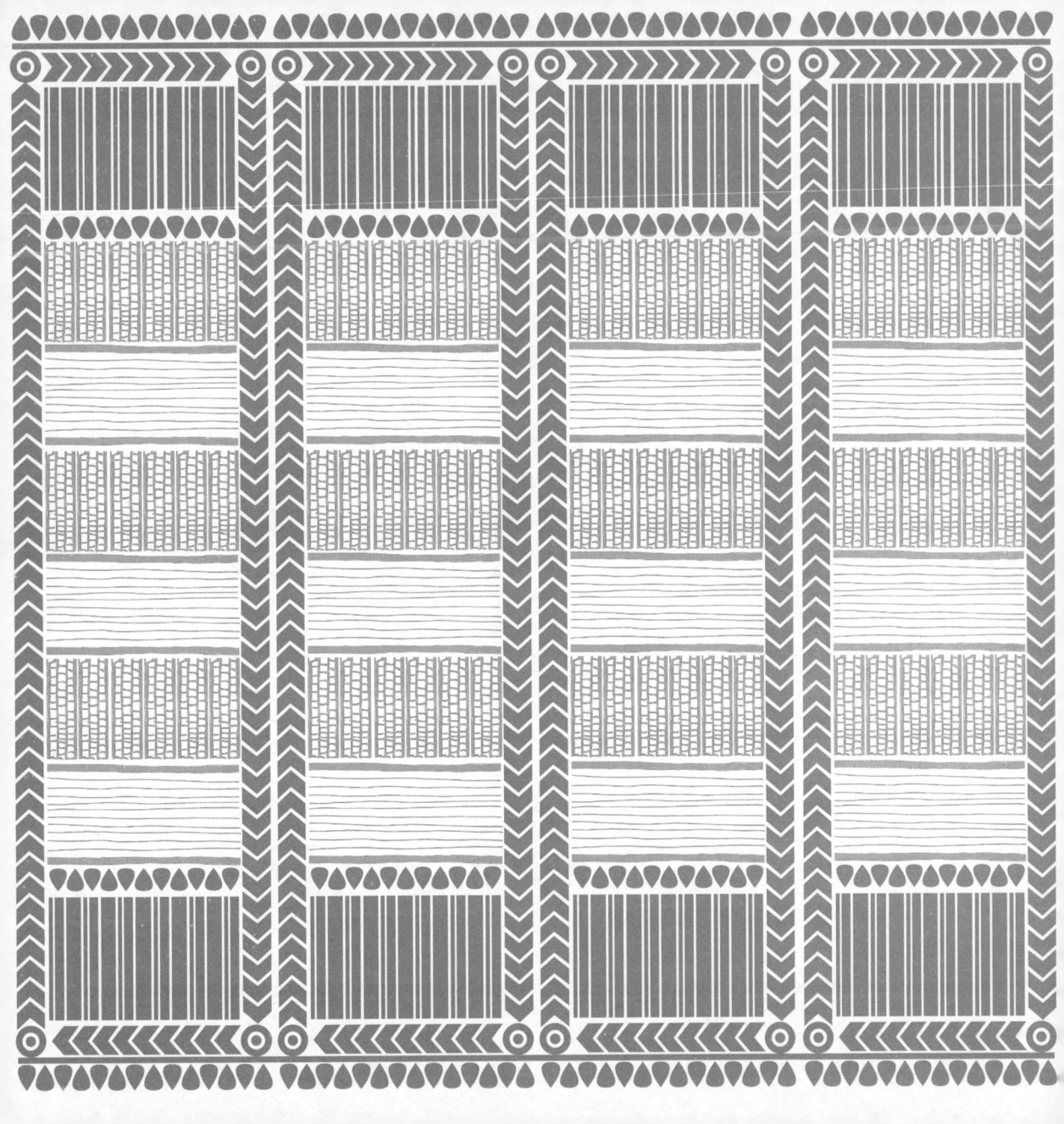

5 Nos domínios da morte

Todos os povos sempre possuíram tradições religiosas baseadas em suas concepções da vida após a morte. Os egípcios, porém, levaram a preocupação com o além-túmulo ao ápice, pois a maior parte de sua arte, sua arquitetura, suas crenças e seus ritos dirigiam-se para o momento em que a existência terrena de cada pessoa chegava ao final.

Não é difícil concluir isso verificando o imenso número de tumbas que encontramos, dos mais variados tipos; pela prática egípcia da mumificação, capaz de preservar o corpo morto — o que, para eles, também preservava a existência da alma; e pelas centenas de textos hieroglíficos ligados aos funerais.

Ao que parece, os egípcios não temiam a morte nem os mortos. Tinham, porém, medo de serem esquecidos, pois o esquecimento poderia atrapalhar sua vida "do outro lado". Como acreditavam que continuariam vivos após a passagem, eliminando apenas as impurezas da vida mortal, assustavam-se tremendamente com a ideia de sofrer uma "segunda morte" — esta, sim, definitiva, e que poderia significar um desaparecimento final.

Por isso, os rituais ligados à morte eram importantíssimos: eles fariam com que os defuntos tivessem sua sobrevivência assegurada no além. Com essa intenção, seus túmulos eram bem cuidados, recheados de fórmulas mágicas, alimentos, roupas e tudo mais de que pudessem precisar. Vem daí a também a prática de construir pirâmides, tumbas suntuosas e mastabas para guardar seus bens e depositar os corpos, praticamente intactos para a outra vida. E, apesar das diferenças nos cultos das várias cidades e regiões, os preparativos funerários eram comuns a todo o povo do Egito.

Um ser completo, para eles, era composto de várias partes: o Ka, o duplo, o conjunto de energias vitais que possibilitam a vida no mundo; o Ba, a alma de uma pessoa, capaz de sobreviver mesmo sem o corpo; também faziam parte desse conjunto a sombra, ou šwt, e o nome, importante por traduzir a essência de cada criatura. Quando alguém morria, não se dizia que estava morto, e sim que "foi para seu Ka", pois era esse elemento que acompanhava cada um desde o seu nascimento.

E havia ainda a interferência dos deuses no destino final dos homens e mulheres. As pessoas deviam viver segundo as leis do Ma'at, pois seriam implacavelmente julgados pelas divindades, segundo seu comportamento na vida terrena e segundo os cultos que tivessem sido realizados em seus funerais. Algumas dessas ideias podem nos parecer estranhas, mas faziam perfeito sentido levando-se em conta todo o corpo de crenças presente nos mitos do Egito. Vamos penetrar, então, no campo misterioso que, para eles, pertencia aos domínios da morte...

OS DEUSES E OS MORTOS

Consta que havia no Egito um antigo deus funerário chamado Sokar, também chamado Seker ou Sokáris. Era cultuado em Mênfis, e dizem que foi destronado por Osíris, após a morte deste pela traição de Seth e de ter-se tornado o novo rei das terras dos mortos. Por conta dessa destituição, Sokar enfureceu-se; morava em uma imensa região desértica, o Imhet. Era um local inóspito povoado por milhares de serpentes. Quando a barca de Rá passava por esse local, em sua trajetória eterna, precisava ser transportada sobre trenós e corria grandes perigos. Sokar às vezes era retratado como um falcão, às vezes montado em uma grande serpente.

O grande deus dos mortos foi mesmo Osíris. Assassinado por seu irmão Seth e ressuscitado por Ísis para gerar o filho de ambos, ele desceria ao submundo e se tornaria a divindade a quem todos deveriam encarar no além-túmulo. Sua história de vida, morte e retorno o fez ser visto como um símbolo dos ciclos da natureza, patrono do renascimento das colheitas e das cheias do Nilo.

Acreditava-se que, ao morrer, os faraós se tornavam Osíris, e sua identificação ao deus que faleceu e voltou do reino dos mortos lhes garantiria a imortalidade. Na verdade, parece que todos os homens, ao morrer, tinham o potencial de se tornarem Osíris.

Outra divindade associada à morte era Hator-Sekhmet: ao morrer, as mulheres identificavam-se com ela, especialmente em dinastias menos antigas. Em várias narrativas foi citada como aquela que recebia os mortos e lhes dava as boas-vindas à nova vida, sendo denominada a Senhora do Ocidente — pois acreditava-se que o mundo do além ficava no Ocidente, ou Oeste, onde o sol se punha. Como foi dito nas histórias sobre Rá e suas barcas, o egípcio comparava o nascer e o pôr do sol com o ciclo da vida.

O deus mais presente nos rituais funerários, era, contudo, Anúbis. Este deus de cabeça de chacal já era adorado como deus protetor dos mortos em tempos bem antigos; e, após o aumento do culto a Osíris nas terras do Egito, foi considerado o realizador da primeira mumificação, pois teria sido ele a enfaixar e preparar o corpo do esposo de Ísis após a morte. Com isso, tornou-se não apenas o patrono dos sacerdotes que cuidavam de embalsamar os corpos e protetor dos cemitérios, mas, como vimos, foi considerado o guia dos que morriam, segundo a palavra grega **psicopompo**.

Era Anúbis que os conduzia na difícil trajetória pelo submundo, até que estivessem diante de Osíris e do terrível julgamento que esperava a todos; também chamado Senhor da Balança, ele manipulava os pratos em que se pesava a índole do morto, sempre sob o olhar severo de Toth.

Para garantir as boas graças de todos esses deuses e senhores da morte, havia uma série enorme de práticas e oferendas, orações e pedidos, fórmulas mágicas dirigidas a eles e registradas não apenas nos papiros, sarcófagos, tumbas e pirâmides, mas também no famoso Livro dos Mortos — que era colocado junto aos cadáveres para garantir que os senhores do céu e da morte fossem aplacados pelas palavras sagradas ali presentes.

Essa palavra vem do grego *psychopompós*, que reúne *psyché* (alma) e *pompós* (guia). Presente em muitas mitologias, a figura do psicopompo revela o deus ou ser mítico encarregado de conduzir uma pessoa a um outro estado de existência, ou levá-la a diferentes etapas de uma iniciação. Para os egípcios, era Anúbis. Para os gregos, era Hermes. Em várias religiões xamânicas, podia ser um animal totêmico.

Os deuses ligados ao submundo e aos funerais eram, dessa forma, os mais temidos nas terras egípcias, aqueles a quem se devia prestar culto sempre, pois deles dependeria a vida futura e a felicidade de cada um, fosse nobre ou não.

Apesar de tanta seriedade, havia ainda um lado mais leve nos cultos funerários: as chamadas "Canções do Harpista", versos encontrados nos túmulos. A mais famosa dessas canções está na tumba do faraó Nubkeperre Intef, da Décima Sétima Dinastia, e mostra um outro olhar sobre a morte, como podemos concluir ao ler este trecho, que conclama à alegria e não à tristeza:

Ninguém volta de lá
para nos dizer como está,
para acalmar nosso coração,
até irmos aonde eles foram.
Portanto, alegra teu coração,
diverte-te e não te canses disso.

O LIVRO DOS MORTOS

Durante os funerais de uma pessoa, no Egito, várias etapas eram observadas, além da mumificação do corpo — especialmente se o morto era alguém importante na sociedade. Para começar, havia uma fase de luto em torno do cadáver, que contava com carpideiras profissionais. Chorar, bater no peito, arrancar os cabelos, fazer soar altos lamentos e até uivos demonstravam o quanto o falecido era querido. Lembremo-nos de Ísis, que se lamentou muito e cortou os cabelos quando seu amado Osíris foi morto.

Havia, então, para os que moravam na margem Leste do rio, um cortejo fúnebre até o Nilo. O rio sagrado devia ser atravessado; o cadáver era sempre acompanhado por lamentos e conduzido numa barcaça, que carregava junto ao esquife duas mulheres para representarem as deusas Ísis e Néftis. Chegando à margem Oeste, onde se localizavam as necrópoles, o sarcófago que continha o corpo era colocado em carros levados por vacas, e uma procissão seguia de lá até a tumba.

Após as oferendas aos deuses e colocação dos objetos que garantiriam a sobrevivência pós-morte, realizava-se uma cerimônia denominada "abertura da boca", ou *uep-rá*.

Esse era um ritual que consistia na recitação de várias orações pelos sacerdotes, uma queima de incenso purificando o morto. Em seguida vinha o ato de um de seus descendentes, colocando um objeto cortante sobre os olhos e a boca da múmia ou sobre suas representações nas tampas dos sarcófagos. O ritual "abria a boca" do falecido: devolvia-lhe os sentidos no outro mundo, tornando-o capaz de alimentar-se e de dar vida à cabeça, às estátuas ou à própria tumba. O ritual prosseguia com as despedidas dos parentes e um festim, como última homenagem.

Outra providência a ser tomada, quando se tratava de túmulos de pessoas abastadas, era a tentativa de afastar os saqueadores. Podemos imaginar a ganância com que as pessoas mais pobres pensavam nas riquezas depositadas junto aos mortos!

> Na maioria, as tumbas e pirâmides, quando analisadas por arqueólogos e pesquisadores, mostravam ter sido "depenadas" de quase todas as suas riquezas no decorrer de séculos, desde os tempos antigos. Ladrões de túmulos nunca foram impedidos de roubar pelas **fórmulas** que ameaçavam os que perturbassem o repouso das múmias...

Para isso, eram utilizadas **maldições** especialmente concebidas com a intenção de assustar os ladrões. O que não parece ter sido uma estratégia muito bem-sucedida, já que tantas tumbas chegaram a nós completamente saqueadas.

Todas as precauções eram necessárias para evitar os perigos pelos quais o morto passaria no além: seria preciso recitar as fórmulas mágicas corretas para aplacar os deuses e fazer com que o ente querido — ou temido, se fosse um homem poderoso — conseguisse prosseguir em segurança.

A magia também era uma forma segura de garantir que os nomes dos mortos não fossem esquecidos, e que, portanto, seus donos não desaparecessem. Mais uma vez, a palavra falada detinha poder.

Em muitas tumbas de faraós, desenhos e inscrições nos mostram os reis mortos levantando voo na forma de um pássaro, um gafanhoto ou um escaravelho, e sendo então conduzidos ao Campo das Oferendas, onde deviam purificar-se e responder, com as frases mágicas, a um interrogatório. Caso eles passassem por essa iniciação do outro mundo, receberiam um trono celeste, como Osíris.

Com tantos textos mágicos necessários — e que dificilmente uma pessoa conseguiria decorar em vida — criou-se a prática de escrever orações, maldições e invocações nos túmulos. Tais escritos foram encontrados em ruínas de túmulos e monumentos funerários desde as dinastias mais antigas.

Para facilitar mais ainda os desafios que seriam enfrentados pelos mortos, a partir da Décima Oitava Dinastia, no

Novo Império, tornou-se comum a colocação do Livro dos Mortos junto aos bens deixados nos monumentos funerários. Nesse livro já estavam registradas as orações e fórmulas mágicas dirigidas a cada um dos deuses, para aplacá-los e obter bom resultado na viagem e assegurar sua benevolência no julgamento. Manuscritos em **hieróglifos,** em hierático ou em demótico, esses livros — na verdade, os antigos eram rolos de papiro — demonstram na prática as variadas crenças nas diversas regiões do país. Não são, portanto, histórias, textos de Filosofia ou regras de comportamento: constituíam, isso sim, uma compilação de encantamentos e muitas vezes continham ilustrações.

Acreditava-se que os escritos, ao serem lidos, proporcionariam livre passagem e segurança à alma do morto: aquilo agradaria os deuses, derrotaria monstros, abriria portas e removeria os obstáculos. Conforme o tempo passava, começou-se a crer que apenas a magia contida nas palavras bastaria, e que tais encantamentos nem mesmo precisariam ser enunciados em voz alta: a mera presença do livro junto à múmia seria uma garantia de sua eficácia mágica e da ascensão da pessoa para a morada dos deuses, ou seja, para a Luz.

E há quem acredite que esse livro teria outras funções, além de proteger a viagem dos mortos até chegarem ao Amenti, o local sagrado onde seriam avaliados pelas divindades: poderia servir também para proporcionar conhecimentos aos iniciados e aos que ainda desejavam a iniciação nos mistérios divinos.

Os **hieróglifos,** como vimos, eram a forma de escrita egípcia que normalmente vemos nos monumentos e pirâmides, formada por desenhos e símbolos, reunindo mais de 600 caracteres; já a escrita hierática era uma forma cursiva usada pelos escribas, que lhes permitia redigir textos longos mais rapidamente em papiros. Quanto ao demótico, era a forma mais simplificada da escrita, e seria usada em períodos tardios da civilização egípcia.

A análise de diversas dessas invocações levou muitos estudiosos à interpretação das noções básicas da religião e das crenças dos povos do Egito como conteúdos mais profundos sobre a vida e a morte. Julgavam eles que, ao analisar cada símbolo presente nos textos, poder-se-ia desvelar seus significados esotéricos — as verdades profundas da alma e do destino, que existiriam, ocultas, nas palavras mais simples. Será isso verdade? Fica para a interpretação de cada um.

Para os mais curiosos, eis um trechinho do capítulo IX, que o morto deveria recitar após passar pela sepultura:

Oh! Tu, grande Alma, poderosa e cheia de vigor!
Eis-me aqui! Cheguei! Contemplo-te!
Atravessei as Portas do Além para contemplar Osíris,
meu Pai divino!
Agora, disperso as trevas que te envolvem,
pois te amo, Osíris, e venho contemplar teu rosto.
Atravessei o coração de Seth, cumpri todos os
ritos fúnebres por Osíris, meu Pai.
E abro os caminhos do Céu e da Terra porque
sou teu filho, Osíris, que te ama...
Eis-me aqui, feito Espírito puro e santificado.
Estou resguardado por Palavras de Potência...
Deuses do vasto Céu! Espíritos divinos! Olhai-me!
Em verdade, tendo terminado minha viagem,
aqui estou diante de vós.

MA'AT E A JUSTIÇA

Ma'at era a jovem deusa da Justiça, mas também personificava a Ordem e a Verdade; representava ainda o equilíbrio do universo. O conceito egípcio de **"verdade"**, no entanto, era muito vasto e englobava outras virtudes: caridade, compaixão, honestidade, tolerância, bondade... Filha de Rá e, em alguns relatos, esposa de Toth, essa divindade era representada com uma pluma de avestruz sobre a testa, a mesma usada para pesar o coração do morto na balança de Anúbis, comparando os pesos de ambos, pois, segundo o ditado egípcio: "A Verdade é leve e a Mentira é pesada".

Segundo o mito, no princípio eram os deuses que governavam a Terra, e naquela época houve paz e justiça para todos. Quando os deuses começaram a partir, porém, deixaram o faraó, seu filho, incumbido de governar o Egito. Cabia ao faraó cuidar para que houvesse ordem, equilíbrio, verdade e justiça no país. Todas as suas decisões deveriam, portanto, ser tomadas em conformidade com a divindade. É por isso que os faraós eram chamados "senhores de Ma'at": por fazerem prevalecer na Terra o que a deusa desejava em seu coração. Alguns deles carregavam mesmo o título de Ma'at-meri (que significa amado por Ma'at), por manterem a ordem em todo o Egito.

Para que esse objetivo fosse alcançado, a sociedade como um todo deveria seguir os princípios de justiça da deusa: preceitos que influenciavam a sociedade em todos os aspectos. As pessoas nunca deveriam esquecer-se de que, assim como Ma'at e Anúbis, quarenta e dois juízes aguardariam por suas almas, pois teriam de submeter-se ao julgamento após a morte.

Dizer algo com **sinceridade** era o mesmo que "falar segundo Ma'at", para os antigos egípcios.

Imaginar o encontro com esses juízes devia ser bem assustador para as pessoas da época; sabiam que o morto teria de apresentar-se a todos eles e chamá-los pelos nomes, que precisariam conhecer de cor. E deveriam enumerar os erros que nunca haviam cometido em vida, segundo as leis de Ma'at; estas também eram quarenta e duas, um número que parece ter sido simbólico para os egípcios. No início dos tempos, antes da unificação do país, ele era dividido em áreas administrativas chamadas nomos. Eram vinte e dois nomos no Alto Egito e vinte no Baixo Egito, num total de quarenta e dois. E eram também quarenta e dois o número de livros sagrados egípcios.

Se, por qualquer motivo, até mesmo o nervosismo ou uma pequena falha na memória, o morto hesitasse ou esquecesse o nome de algum dos juízes, corria grandes riscos, pois era necessária a aprovação de todos para que ele tivesse licença de se aproximar de Osíris e poder depois entrar no reino dos mortos. Afinal, Ma'at, assim como Rá, era uma deusa constantemente ameaçada: necessitava lutar todos os dias para manter o equilíbrio e não permitir que o Caos se reinstalasse, como acontecia na era anterior aos deuses.

A HORA DO JULGAMENTO

São muitas e variadas as descrições do Duat ou Tuat, o submundo. Não era uma espécie de "inferno", um lugar associado ao mal, à escuridão e ao sofrimento, como existe em outras crenças, era apenas o outro lado do mundo diurno.

Rá, o Sol, após iluminar o céu do dia, atravessava o Duat em sua barca todas as noites. E era esse mesmo caminho que devia ser percorrido em uma primeira etapa por todos os mortos, após as cerimônias fúnebres. Constituía-se de doze regiões distintas, cada uma guardada por terríveis monstros ou demônios; às suas portas, as almas deviam passar por provas, recitar as fórmulas adequadas ou responder a perguntas — como, por exemplo, qual o nome do objeto ou criatura que estava em seu caminho.

Há tradições, ainda, que dizem haver sete mansões no Duat, cada uma franqueada por um Arrit, ou portal; diante de cada um deles estariam três espíritos — um guardião, um vigia e um arauto para anunciar a chegada do morto. No Livro dos Mortos há fórmulas para serem recitadas diante de cada Arrit. E as almas que chegavam aos Campos da Paz e dos Bem-Aventurados, denominados Sekht-Hotep e Sekht-Ianru, encontravam quatorze moradas: os Iats, que se abriam para os que proferissem as **saudações** adequadas a cada um, também registradas naquele Livro.

O momento crucial da travessia era a chegada à nova etapa da viagem, o Amenti. Lá, na presença dos deuses, e sabendo que seria observado por Ma'at, a deusa da Justiça, o morto era conduzido por Anúbis e submetido a julgamento.

O tribunal era presidido por Osíris, juiz dos mortos, tendo atrás de si sua rainha, Ísis, e também Néftis, sua irmã. Diante deles, e dos quarenta e dois juízes, o falecido tinha de confessar o que fez e o que não fez — a chamada Confissão Negativa,

> Este momento traz mais um exemplo de como, para o egípcio, a **palavra falada** se mostra mágica: pois era o conhecimento dos nomes das criaturas que dava poder ao morto que os pronunciava.

uma lista dos males que ele não praticara, e que, como vimos, estavam previstos nas quarenta e duas leis de Ma'at. Um exemplo está neste trecho:

> *Eis que trago em meu Coração a Verdade e a Justiça, pois que arranquei dele todo o mal. Não causei sofrimento aos homens. Não empreguei violência com meus parentes. Não substituí a Justiça pela Injustiça. Não frequentei os maus. Não cometi crimes. Não trabalhei em meu proveito com excesso. Não intriguei por ambição. Não maltratei meus servidores. Não blasfemei contra os deuses...*

A lista era longa, e o morto devia ainda dirigir-se a cada um dos deuses superiores e inferiores, pedindo seu ingresso nas terras dos justos.

O que tinha importância naquela hora fatal, porém, não eram tanto as palavras da confissão, que podiam muito bem ser falsas: era o peso de seu coração.

Sabemos que, no processo de mumificação, os órgãos eram retirados e preservados em vasos nas tumbas ou recolocados no interior do cadáver após uma desidratação. Algumas fontes dizem que o coração não era retirado do corpo como os outros, pois nele morava a verdadeira natureza da pessoa, e por isso era importante que permanecesse. Já outros autores afirmam que ele era substituído por um **escaravelho** esculpido em pedra.

A Pesagem do Coração acontecia no Salão das Duas Verdades, pelas mãos de Anúbis, e era registrada por Toth, que se

---

Esse **escaravelho** esculpido deveria trazer, escrita, a seguinte fórmula mágica: "Ó, coração que herdei de minha mãe, coração que me pertence, não me negues perante os juízes, não me contraries perante o pesador. Tu és o *ka* (duplo) em meu corpo, não permitas que nosso nome exale mau cheiro e não mintas sobre mim perante o deus".

assegurava de que a justiça final fosse feita. O deus de cabeça de chacal retirava o órgão e o pesava no prato de uma balança; no outro prato Ma'at colocava a pena que simbolizava a Verdade.

Se o coração pesasse menos que a pena, ou o peso fosse igual, o morto era considerado digno; podia fazer a prece final de agradecimento a Osíris e partir para iniciar sua nova vida, prosseguindo a viagem para o Aaru, a terra das almas felizes. Claro que ele ainda teria de atravessar um portal, dizendo em voz alta o nome secreto da porta de saída e o nome de todas as madeiras ali utilizadas...

No entanto, caso o coração do falecido estivesse cheio das maldades praticadas em vida, a criatura indigna seria condenada — e seu coração seria devorado pelo monstruoso **Ammit**, o Devorador de Almas.

Isso equivalia à chamada "segunda morte", e significava que a alma desses condenados jamais teria descanso, podendo mesmo ser lançada num lago de fogo, castigo que talvez fosse eterno. Se a criatura tivesse sorte, poderia durar apenas um período de expiação.

Em muitos exemplares do Livro dos Mortos, assim como nas tumbas, há ilustrações desses julgamentos, demonstrando o quanto a crença na justiça divina temperava a vida do povo egípcio.

Ma'at pode não ter sido a deusa mais cultuada nas terras ao longo do Nilo, lugar esse ocupado por Ísis; porém sua presença constante nas narrativas, como Senhora da Verdade e reguladora dos princípios éticos dentro da sociedade, é

Ammit ou **Ammut**, o Devorador de Almas, era um horrendo demônio feminino, com corpo de hipopótamo e leão e cabeça de crocodilo. Sua imagem estava sempre presente nas representações pictóricas da Pesagem do Coração.

a prova de que, desde tempos imemoriais, os seres humanos sabem com clareza distinguir e separar a corrupção da honestidade, a justiça da injustiça, a violência da paz.

Os justos, aqueles que tivessem passado por todo esse processo e encarado com coragem os quarenta e dois juízes e mais os deuses, poderiam, então, dizer:

> *Tu, oh deus da Nobre Pluma e cujo Nome é misterioso,*
> *sabe-o: eu sou o Lótus sagrado! Minha radiação*
> *invade o Céu infinito! O Reino da Pureza me recebe*
> *em seu seio e nele permaneço eternamente,*
> *perto das narinas da divindade todo-poderosa,*
> *pois eu permaneci no Lago de Fogo e aí recebi*
> *meu castigo pelo Mal que pratiquei na Terra.*
> *Chegando a ser o Guardião do Traje Sagrado,*
> *protejo Ísis e Néftis durante a Noite do*
> *desmoronar dos Mundos... Eu sou Amenti-aa!*
> *Forço a entrada e mergulho nos Abismos do Céu.*

E era na esperança de passar a eternidade no Reino da Pureza, ao lado de Osíris e de Ísis, agora rainha do Amenti, que as pessoas no Egito passavam pela vida e enfrentavam a morte.

Referências bibliográficas

BARBOTIN, Christophe (org.). *A era dos reis divinos*. São Paulo: Cidade Cultural, 1989.

BRISSAUD, Jean-Marc. *Grandes civilizações desaparecidas: O Egito dos faraós*. Rio de Janeiro: Famot, 1978.

BULFINCH, Thomas. *Mitologia, a Idade da Fábula*. Tradução de Raul L. R. Moreira. Belo Horizonte: Itatiaia, 1962.

CARDOSO, Ciro Flamarion S. *O Egito antigo*. São Paulo: Brasiliense, 1985.

CERAM, C. W. *Deuses, Túmulos e Sábios*. Tradução de João Távora. São Paulo: Melhoramentos, 1957.

CHAGNAUD, J. J. e Y. **QUESNEL,** A. **RUFFIEUX,** J. M. *O Egito, mitos e lendas*. Tradução de Ana Maria Machado. São Paulo: Ática, 1993.

CORTESE, Valéria; **GUIDOTTI,** Maria Cristina. *Cenas do antigo Egito*. Rio de Janeiro: DelPrado, 2008.

DAVID, Rosalie. *Religião e Magia no antigo Egito*. Rio de Janeiro: Difel, 2011.

DESPLANCQUES, Sophie. *Egito antigo*. Porto Alegre: L&PM Pockets, 2009.

ELLIS, Normandi. *Deusas e deuses egípcios: Festivais de luzes*. São Paulo: Madras, 2003.

EMERY, W. B. *Archaic Egypt*. Penguin, 1963.

ÉVANO, Brigitte. *Contos e lendas do Egito antigo*. São Paulo: Cia das Letras, 2005.

FUNARI, Raquel dos Santos. *O Egito dos faraós e sacerdotes*. São Paulo: Saraiva, 2001.

GANERI, Anita. *Os Antigos Egípcios*. Tradução de Franco, Ana Lúcia. São Paulo: Abril Jovem, s/d.

HAWASS, Zahi. *A maldição dos faraós: Minhas aventuras entre as múmias*. São Paulo. Abril/National Geographic, 2004.

HERÓDOTO. *The history of Herodotus*. E-book do Project Gutenberg.

HIMMEL, John R. *Dicionário das Religiões.* Tradução de Octávio M. Cajado. São Paulo: Cultrix, s/d.

SHAHRUK HUSAIN. *La Diosa. Creación, Fertilidad y Abundancia — Mitos y Arquetipos Femeninos.* Trad. de Margarita Cavándoli. Köhn: Taschen GmbH/ Duncan Baird Publishers, 2006.

JAMES, T. G. H. *Mitos e lendas do Egito antigo.* São Paulo: Prisma, 1978.

MACDONALD, Fiona. *Egípcios Antigos.* Tradução de Mônica Desidério. São Paulo: Moderna, 1996.

MAIER, Félix. *Egito, uma viagem ao berço de nossa civilização.* Brasília: Tesaurus, 1995.

MCNALL, Edward. *História da civilização ocidental.* Tradução de Lourival Gomes Machado et alii. Porto Alegre: Globo, 1963.

MELLA, Federico A. Arborio. *O Egito dos faraós. História, civilização, cultura.* São Paulo: Hemus, 1981.

MIRCEA, Eliade. *O Conhecimento Sagrado de todas as eras.* Tradução de Luiz L. Gomes. São Paulo: Mercuryo, 1995.

_____, Eliade; **IOAN,** Couliano. *Dicionário das Religiões.* Tradução de Ivone C. Benedetti. São Paulo: Martins Fontes, 1999.

PHILLIP, Neil. *O Livro Ilustrado dos Mitos.* Tradução de Felipe J. Lindoso. São Paulo: Marco Zero, 1996.

PLUTARCO. Complete Works of Plutarch. E-book do Project Gutenberg.

SPALDING, Tassilo Orpheu. *Dicionário de Mitologia Egípcia/ Sumeriana/ Babilônica.* São Paulo: Cultrix, s/d.

STROUHAL. Eugen. *Biblioteca Egito: A vida no antigo Egito.* Barcelona: Folio, 2007.

TRAUNECKER, Claude. *Os deuses do Egito.* Brasília: UNB, 1995.

VERCOUTTER, Jean. *O Egito antigo*. São Paulo: Difel/Saber atual, 1974.

VIEIRA, Cristina. *Egito: deuses, faraós, civilizações (volumes 5, 6 e 7)*. São Paulo: Escala, s/d.

Grandes impérios e civilizações: O mundo egípcio. Vol I — Deuses, templos e faraós. Sem autoria. Rio de Janeiro: DelPrado, 1996.

Grandes impérios e civilizações: O mundo egípcio — Deuses, templos e faraós. Vol II. Sem autoria. Rio de Janeiro: DelPrado, 1996.

EgitoMania: O fascinante mundo do antigo Egito — volume II. Sem autoria. São Paulo: Planeta Diagostini, 2006.

EgitoMania: O fascinante mundo do antigo Egito — volume IV. Sem autoria. São Paulo: Planeta Diagostini, 2006.

Eyewitness travel: Egypt. Guia de Viagem. Londres: DK, 2007.

Revista Geo — Número 03 — Matéria: "Viagem à eternidade". São Paulo: Escala, 2009.

Outras fontes

http://www.drhawass.com

http://www.gem.gov.eg

http://www.louvre.fr

http://egiptologianobrasil.blogspot.com.br

http://arqueologiaegipcia.com.br

http://www.dailymail.co.uk/sciencetech/article-1251731/King-Tutankhamuns-incestuous-family-revealed.html

http://seuhistory.com/node/87384

https://www.youtube.com/user/smithsonianchannel

http://www.bbc.com/portuguese/noticias/2001/010410_mumia.shtml